London Family Style

Introduction

ロンドンでよく見られるのが、通りに面して
ずらりと並び建つ、れんが造りのテラスハウス。
建物の中の様子は、なかなかうかがい知れず
通りを行く私たちのイマジネーションをかきたてます。
ドアを開けると、その先には……
家族の思い出がつまった家具や雑貨たちが並ぶインテリア。
裏手には、住まいとつながる緑豊かで美しい庭も。
いきいきとした、家族のための空間が広がっています。

キッチンでケーキを焼いたり、リビングで楽器を演奏したり
ダイニングでお絵描きしたり、庭に出てガーデニングをしたり。
ロンドンのアーティストたちが子どもたちと暮らす
おうちの中は、家族みんなで過ごす楽しい時間でいっぱい。
ときにはご近所さんや友だちも仲間入りして午後のお茶を。
みんな一緒に、アットホームに楽しんで、
そんなひとときから、子どもたちが自然と学ぶこともたくさん。
そう、まるでテムズ河のように、ゆったりと
子どもたちの成長を見守る、おおらかな時間が流れていきます。

ジュウ・ドゥ・ポゥム

Lou and Gavin Rota

Contents

Emma and Robert Orchardson
エマ＆ロバート・オーチャードソン
designer and sculptor 6

Bianca and Ed Hall
ビアンカ＆エド・ホール
designer/owner Kiss Her and television presenter 14

Josie Curran and Barney Girling
ジョシー・カーラン＆バーニー・ガーリング
writer and creative director 22

Lubna Chowdhary and Nick Higgins
ルブナ・チョウダリー＆ニック・ヒギンス
ceramicist and illustrator 33

Emma Jeffs and Ed Mottershaw
エマ・ジェフス＆エド・モッターショウ
surface designer and chef 38

Nina Nägel and Simon Packer
ニナ・ナーゲル＆サイモン・パッカー
founder ByGraziela and founder Fold 7 44

Rosa Wiland and Gary Holmes
ローザ・ウィランド＆ゲイリー・ホルムズ
designer/owner LIttle Duckling and engineer 50

Judith and David Booth
ジュディス＆デイヴィッド・ブース
designer/owner Made With Love by Mrs Booth and graphic designer 56

Jackie Parsons and Jonee Elwood
ジャッキー・パーソンズ＆ジョニー・エルウッド
designer/owner Bopeep Kids and web designer 62

Sarah Coates and Peter Thal Larsen
サラ・コーツ＆ピーター・タール・ラルセン
designer/owner Smith & Coates and journalist 68

Charlotte and Ben Day
シャルロット＆ベン・デイ
designer/owner Dandy Star and jewellery designer 74

Susannah Hunter
スザンナ・ハンター
handbag designer 80

Genevieve Closuit and Pascal Rousson
ジュヌヴィエーヴ・クロスーツ＆パスカル・ルーソン
designer/founder Madame Chalet and artist 86

Georgia and Alaistair Steele
ジョージア＆アラスター・スティール
3D designer and spatial designer 94

Karine Kong and Steve Kirk
カリーヌ・コン＆スティーヴ・カーク
founder BODIE and FOU and finance director 100

Nicole Frobusch and Paul Winter-Hart
ニコール・フロブッシュ＆ポール・ウィンター＝ハート
designer/owner Nixie Clothing and drummer Kula Shaker 106

Lou and Gavin Rota
ルー＆ギャヴィン・ロタ
designer and TV executive 112

Blythe and Oli Bruckner
ノフイス＆オリ・ブルックナー
stylist Designer Guild, florist and production director for Ben Sherman 118

Emma and Robert Orchardson

エマ＆ロバート・オーチャードソン
designer and sculptor

Elsa　エルザ
girl / 1 year old

ママのお手伝いをするのが好きなエルザちゃん。
お掃除したり、一緒にキッチンに立ったり。
今日は、お気に入りのエプロンをしめて、
パパとママと一緒に、おやつのケーキづくり。
ヴィクトリア・スポンジにジャムといちごをサンド。
カップケーキには、たっぷりのホイップクリームに
アラザンを散らして……、エルザちゃんはすぐにパクリ。
お口のまわりにクリームがついてしまいました。
その様子に、パパとママも思わず大笑いです。

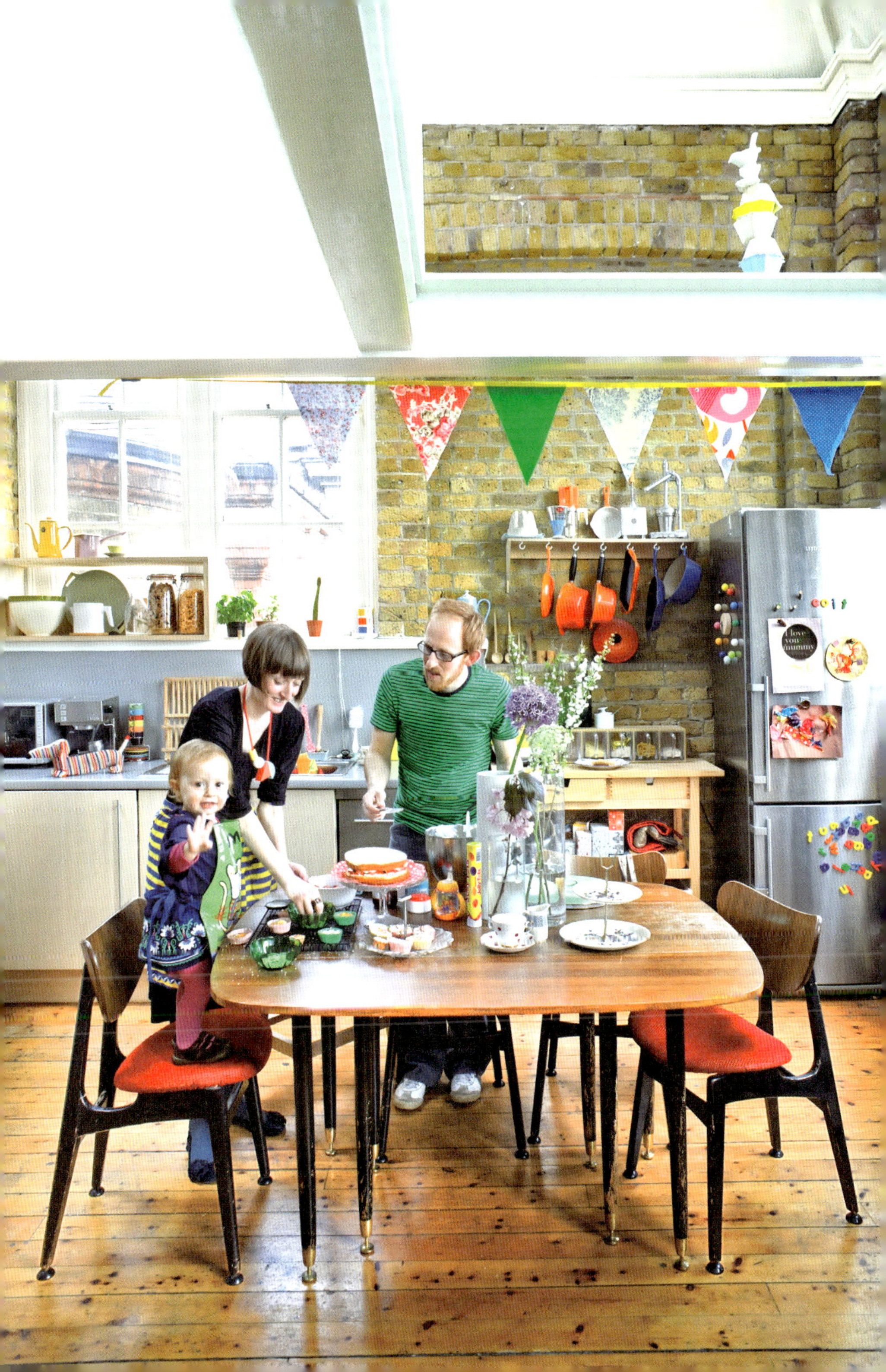

お日さまの光がたっぷり入る、れんが造りのフラット

グリーティングカードやアクセサリーを手がけるデザイナーのエマさんと、彫刻家のロバートさんは、18か月になるエルザちゃんと一緒に、ロンドン南東部のペッカムに暮らしています。家族が暮らすフラットは、1900年ごろの学校をリノベーションしたれんが造りの建物。高い天井と大きな窓の1階にはキッチンとリビング、そしてベッドルームを設けました。ロフトにあるアトリエでお仕事をしていても、階下の様子がわかるので、まだ小さなエルザちゃんと過ごす時間を大切にしているふたりにぴったりの開放的な空間です。

左：ママのヴィンテージのキッチン用品コレクションが並ぶキッチン棚。特にお鍋は重みのある「ル・クルーゼ」がお気に入り。右上：この界隈の人たち共有の庭園で育てはじめたトマトとルッコラの成長が、最近の家族の楽しみ。右下：パパの両親から譲り受けた70年代のお皿。

左上：冷蔵庫には、エルザちゃんが作ったコラージュ。物づくりをするときは、パパとママも驚くほどの集中力を見せます。左中：フリーマーケットで見つけた食器にケーキを並べて。右上：ママにぎゅっとくっついたエルザちゃん。最近おしゃべりが上手になってきました。左下：絵本が並ぶ本棚は、日曜学校から譲り受けたもの。右下：パパがカスタマイズしたイスの上には、エルザちゃんお気に入りのバッグ。

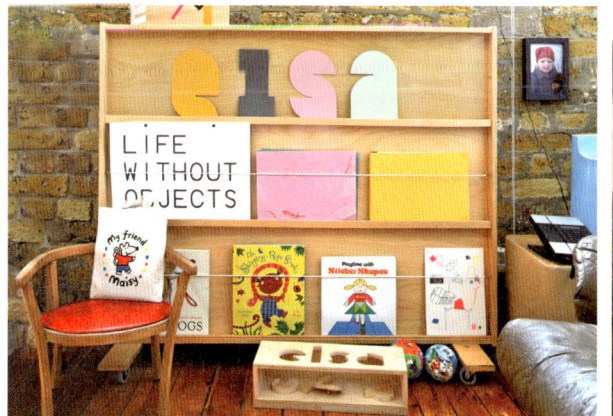

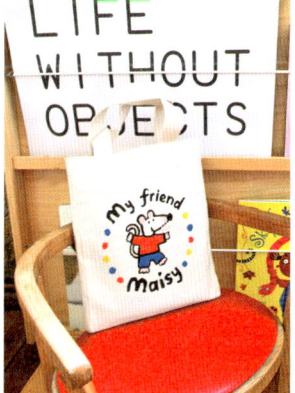

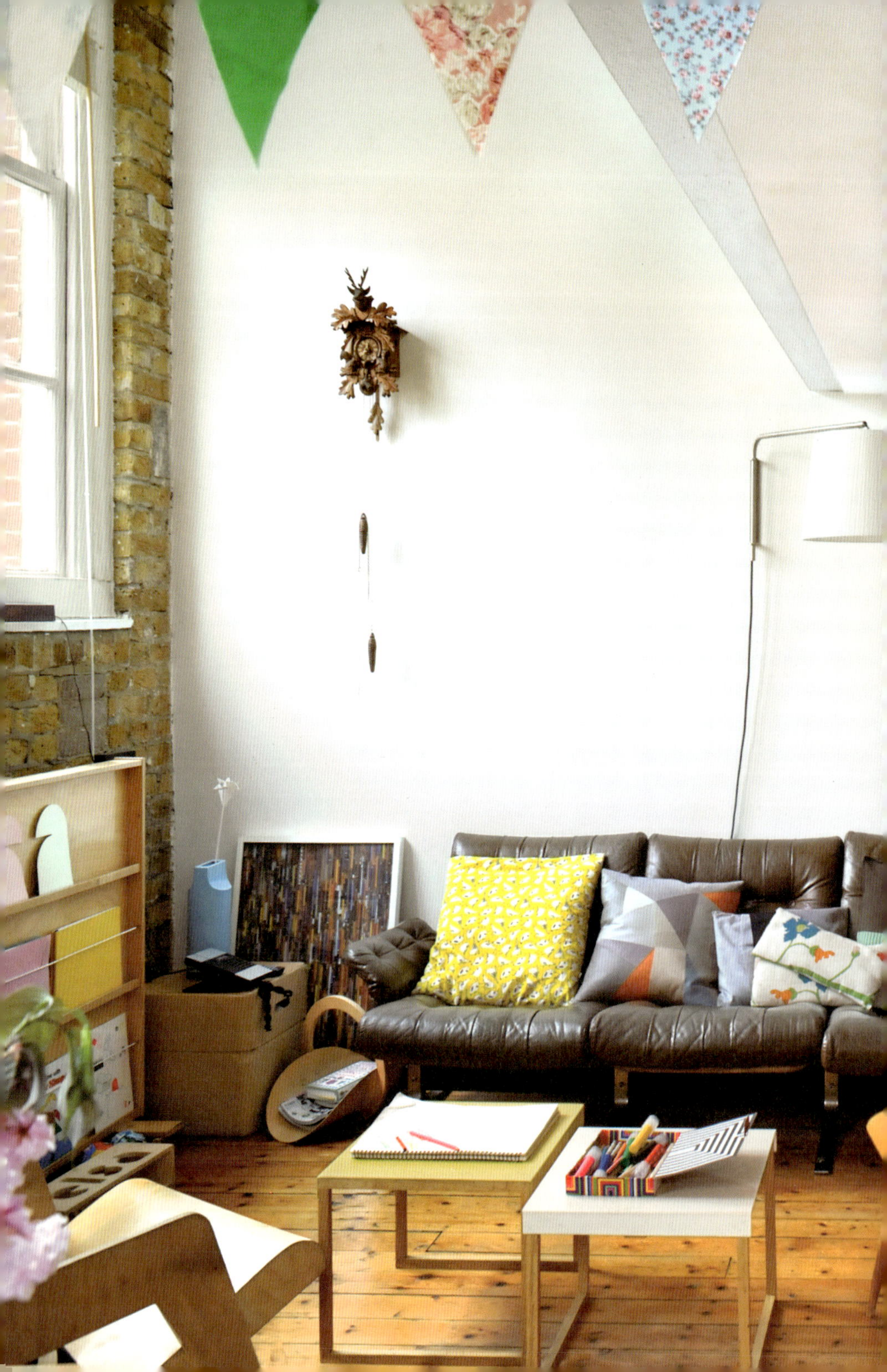

天井が高くて、開放的なリビング。ヴィンテージのソファーの上にある、花のアップリケのクッションはママの手づくり。

左上：ロフトにあるママのアトリエ・スペース。アクセサリーやカードづくりのためにミシンが置かれたコーナーの黄色いイスはロビン・デイがデザインした「ポロ・チェア」。右上：ママが手がけるセラミック作品。右中＆左下：母の日や父の日のために作ったカードを飾って。右下：プリント生地をベースに、ステッチでモチーフを描いたエマがデザインしたグリーティングカード。

左上：「elsa」の文字は、エルザちゃんが生まれて、ママと病院から戻ってきたときに、パパが作ったデコレーション。セラミックの鳥は、ママの作品。**右上**：木製のおもちゃを作っていた友だちがプレゼントしてくれたもの。**左中**：エルザちゃん1歳の誕生日プレゼントのぶらんこ。**左下**：いちばんの仲よしのぬいぐるみ、ピーキーくん。赤い靴は、パパの兄弟からの贈り物。

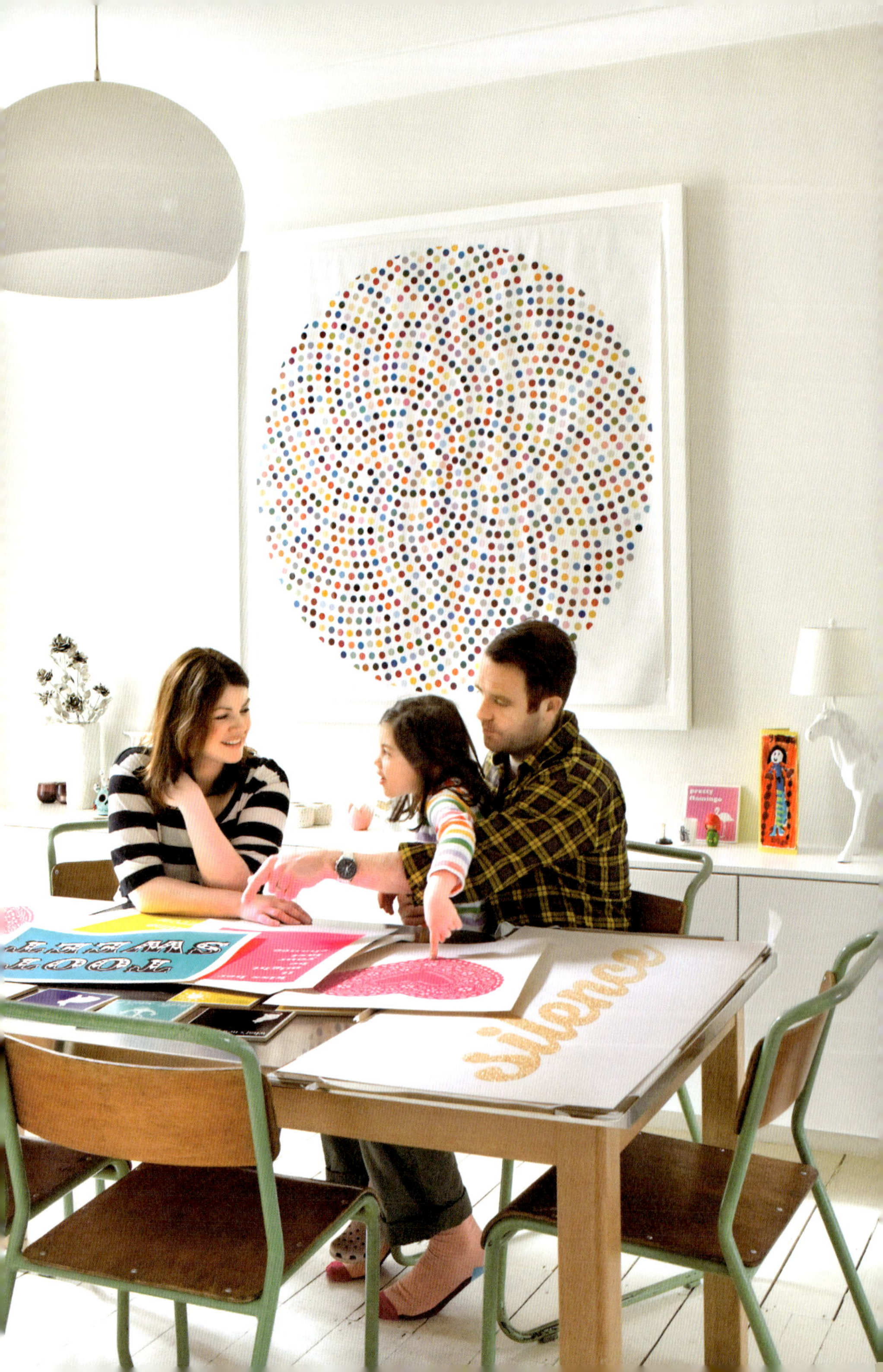
pretty flamingo
silence

Bianca and Ed Hall

ビアンカ＆エド・ホール
designer/owner Kiss Her and television presenter

Edie　イーディ
girl / 5 years old

ドイリーやキュートなメッセージをデザインした
シルクスクリーン印刷のブランド、キス・ハー。
パパとママ、イーディちゃんが集まるリビングは
キス・ハーのデザインを考えるアイデア・ルーム。
イーディちゃんは、ママが手がける作品の大ファン。
このモチーフを、こんな色でプリントしたら
きっとかわいいよ！と教えてくれることも。
クリエーションのよきアドバイザーでもある
家族の愛情がたっぷり、スイートな世界です。

モダンなテラスハウスは、家族みんなのアトリエ

デザイナーのビアンカさんと、朝のテレビ番組でプレゼンターを務めるエドさん、そしてイーディちゃんが暮らすのは、ロンドン北東部。典型的なヴィクトリア調のテラスハウスですが、家の中に入ると、白くペイントされた壁が光を集めて、モダンな雰囲気を感じます。この家の中にある「キス・ハー」のアトリエで、お手伝いをするのが好きというイーディちゃん。ママが手がけるセラミック・タイルの作品を見て、将来の夢は陶芸家といいます。裏庭に陶芸用のろくろと窯のある小屋を作ってあげたいと、パパとママは考えているところです。

左：リビングのソファーを置いた壁面には、「テイト・モダン」のミュージアムショップで見つけたスカーフを額にいれて。右上：アートクラブにも通うイーディちゃん。週末は家族で美術館へ出かけます。右下：パパ出演のテレビ番組「ビッグ・ブレックファースト」の宣伝用プレート。

左上：7歳のころからスケートボードに夢中のパパ。イーディちゃんのためのロングボードを手に。左中：いま練習中の自転車と、ママがデザインした「パンク・ドイリー」。右上：壁にはダミアン・ハーストの絵画。ケースに入ったウクレレは、ニュージーランドに住むミュージシャンのおばあちゃんから。左下・6歳の誕生日プレゼント「もみしトール」。右下：メキシコのキャンドルスタンド。

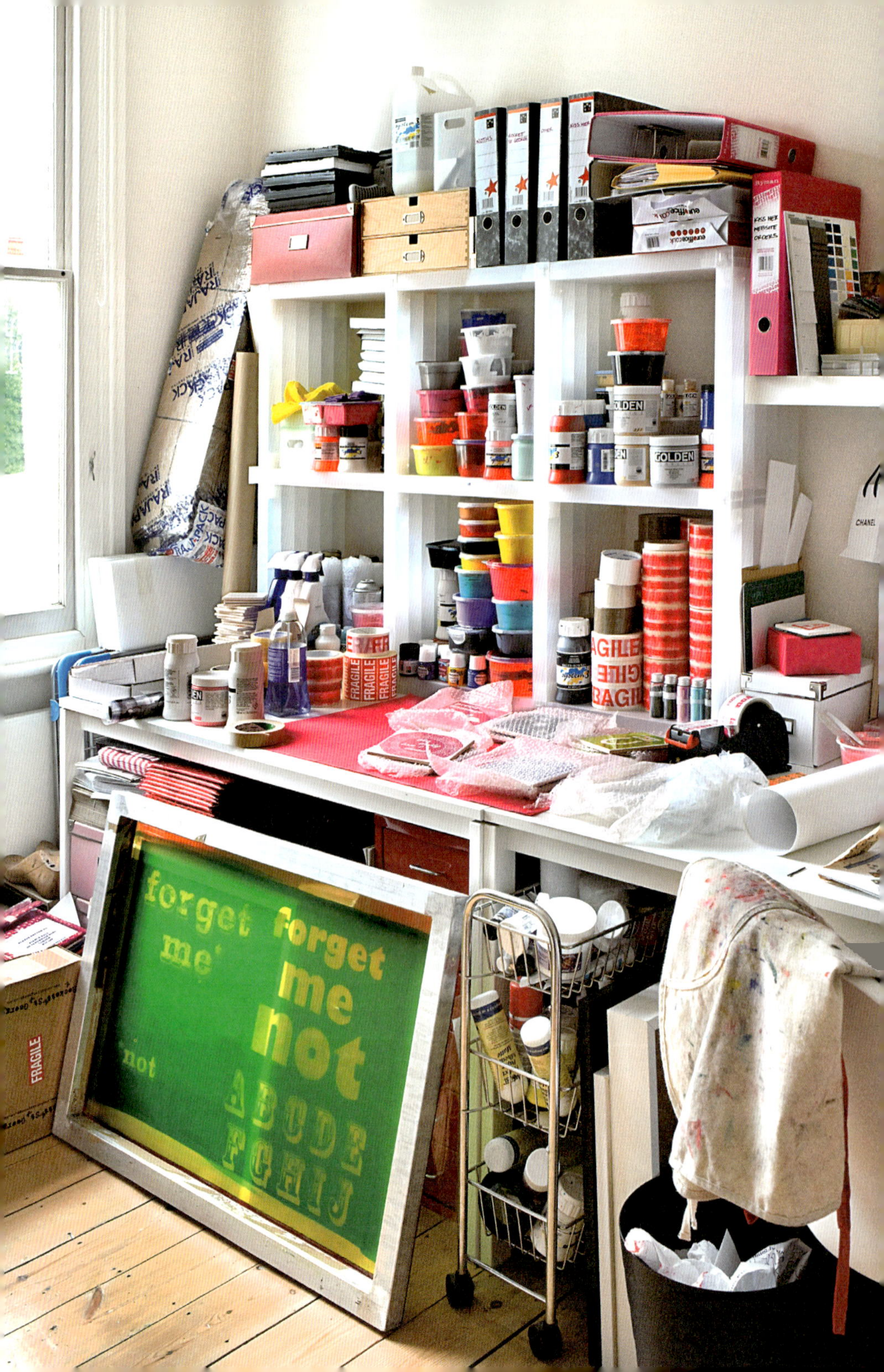

forget
me
not
forget
me
not
GOLDEN
FRAGILE
CHANEL

左上：ニュージーランドのおじいちゃんが作ってくれた、作品を乾かすためのラック。左中：ママがブレンドしたインクと、完成したばかりのタイル「プリティ・フラミンゴ」。右上：プリント台の上に、イーディちゃんがインクを用意するところ。左下：ブリュッセルに住むおばさんが送ってくれた、シルバーのふくろうと写真入りスノードーム。右下：作品を発送するときに使うオリジナルのテープ。

19

左上：イーディちゃんお気に入りのフェアリーたち。夜おやすみの前には、お菓子の庭とそこに暮らすフェアリーたちの物語を作るのだそう。右上：誕生日プレゼントのネコ型黒板と、「キャス・キッドソン」で見つけたラバー・ダック。左下：2階にある、イーディちゃんの部屋。右中：3歳で家族旅行をしたときの思い出の赤ちゃん人形。右下：ブリュッセルのおばさんから贈られた人形。

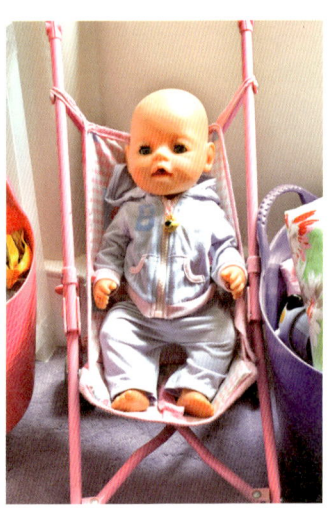

上：ベッドのそばに飾ったプリント「TOOT SWEET」は、イーディちゃんお気に入りの1枚。映画「チキチキバンバン」の歌からインスパイアされた作品。左下：かわいらしい2つのバスケットは、友だちからのプレゼント。右中：パパの写真入りフォトフレームと「ペッツ」は、クリスマスプレゼント。右下：ママが作ったアルファベット・タイルと、おめかしグッズ。

Josie Curran and Barney Girling

ジョシー・カーラン＆バーニー・ガーリング
writer and creative director

Herbie　ハービー
boy / 7 months old

ゆったりとした流れのテムズ河沿いにある、ハウスボート。
この家で生まれたハービーくんは、おだやかな男の子。
水の動きに小さな揺らぎを感じて、とてもよく眠ります。
パパとママも自然のすぐそばにいられる暮らしがお気に入り。
早朝に川に面したテラスに出て、鳥たちや魚たちを見ていると
季節が変わっていく様子が、いちはやく感じとれるのだそう。
カワカマスやウナギを釣って、食べることもできるし
犬のオッターくんは、川に飛び込んで泳ぐのが大好き。
川辺の暮らしを、家族みんなで楽しんでいます。

上：ハウスボートに係留しているボートで川を下って出かけることも。左中：ハービーくんの積み木で家族の名前をつづったウェルカム・ボード。左下：エミリー・ピーコックのタペストリーキットを使ってママが手づくりしたクッションと、おばさんからハービーくんへ誕生祝いのテディベア。右下：川辺のテラスは、家族みんなのお気に入りの場所。

いつも自然が身近に、緑いっぱいの島のハウスボート

ロンドン中心部から電車で45分ほどの距離にある、ハンプトン・コート。小さな駅を車で出発して橋をわたり、中州の島へ。テムズ河沿いのハウスボートが、本のライターとして活躍するジョシーさんと、クリエイティブディレクターのバーニーさん、そして7カ月のハービーくん一家の住まいです。玄関のまわりは緑にあふれていて、長方形のハウスボートの裏手はテムズ川に面しています。両サイドに広く窓がとられているので、とても開放的。自然に囲まれてリラックスできる環境に、友だちが遊びにくることも多いそう。

左：リビングの一角にあるママのデスク。本棚には、記事を書くときにリサーチするための本が色別に美しく並んでいます。右上：壁掛け時計はアンティークショップでの掘り出し物。右下：デザイナーとして活躍する友だち、ビアンカ・ホールのプリント作品。

左上：ママと仲間たちで手がけている『オーガナイズド・ファン』は、テレビなどの娯楽が少なかった19世紀に楽しまれたゲームをアレンジした遊びを紹介した1冊。**右上**：本の中に登場するゲーム「ヒューマン・フルーツ・マシーン」大会をしたときのボードを持って。**左下**：ダイニングで待つオッター。**右中**：「スージー・クーパー」のカップとのみの市で見つけたコーヒー缶。**右下**：ハービーくんの席はトリップ・トラップ・チェア。

庭にむかって窓が大きく開く、開放的なリビング。自然とのコントラストを考えて、クッションなど雑貨に明るい色を取り入れました。

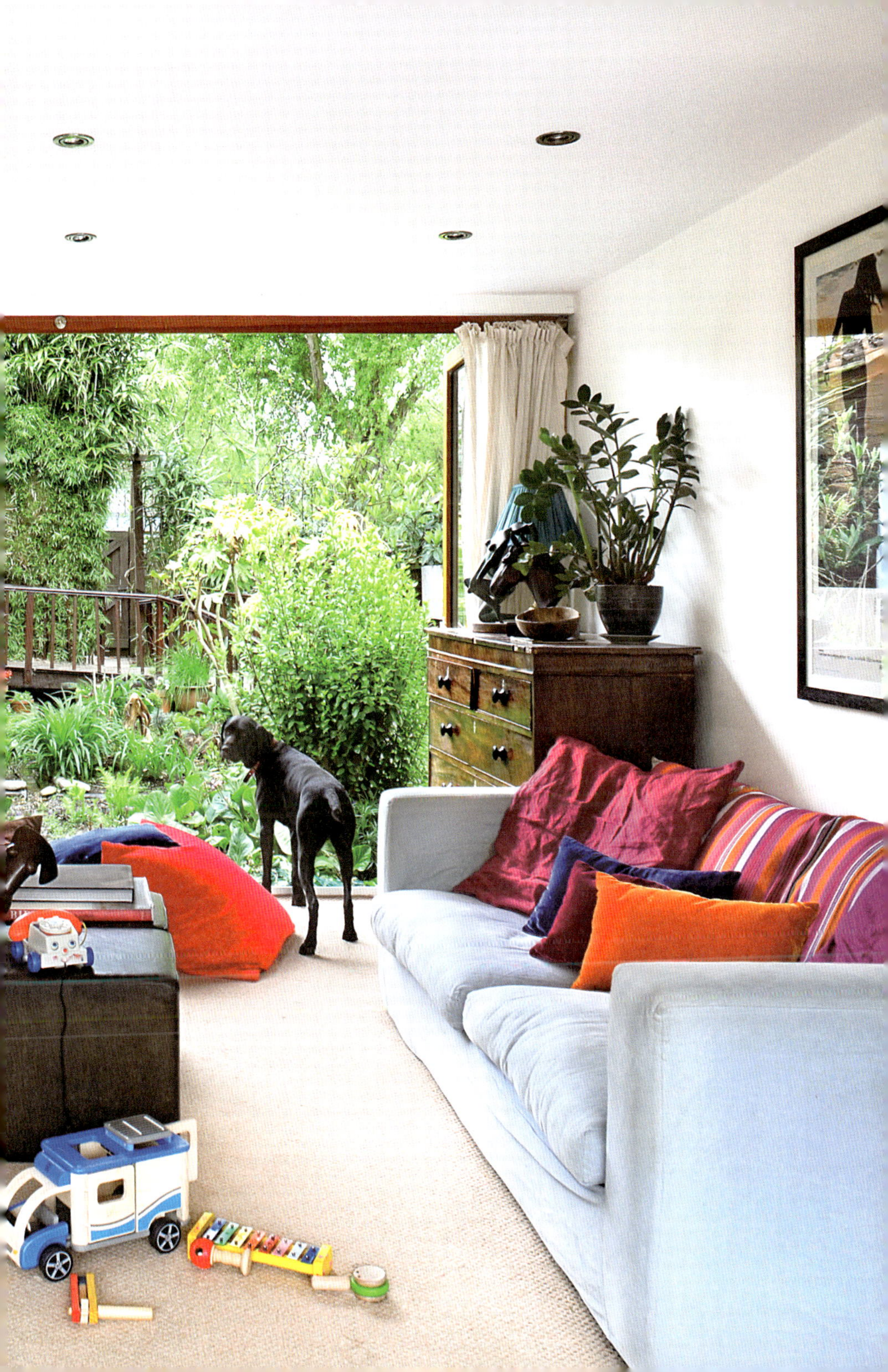

上：パパとママのベッドルーム。ベッドカバーはインドへ旅行したときに見つけたもの。左下：小さなビューローデスクの周りは、友だちのアーティストや家族から譲り受けた絵画を飾ったギャラリー・コーナー。右中：印刷用の活字スタンプで、ママの名前を並べて。右下：フランス製のアンティークのゆりかごベッドの上には、眠るときにいつも一緒の編みぐるみたち。

左上：ハービーくんお気に入りの馬のぬいぐるみ。右上：大好きな馬をモチーフにしたミニバッグ。左中：お城型のおむつ入れは、大おばさんからの贈り物。左下：兵隊さんのボーリングゲーム、「キス・ハー」のイニシャル・タイルは、パパとママの友だちから誕生祝いのプレゼント。右下：ハービーくんのベッドコーナーには、パパがコレクションしているサーフィンのポスターを壁に貼って。

Lubna Chowdhary and Nick Higgins

ルブナ・チョウダリー&ニック・ヒギンス
ceramicist and illustrator

Roshanzamir　ロシャンザミール
boy / 5 years old

ロシャンザミールくんは、好奇心旺盛な男の子。
鳥や動物、昆虫を観察するのが大好きで
ポケットには、いつも小さなマイクロスコープ。
イラストレーターのパパと、陶芸家のママの影響で、
紙や布、ねんどを使った工作も得意です。
キッチンの裏手に広がるお庭は、冒険の舞台。
木や花に集まってくる昆虫や鳥を観察したり
鳥とねずみの国を作って、遊んだりしています。
将来の夢は、ゴリラと働くサイエンティスト!

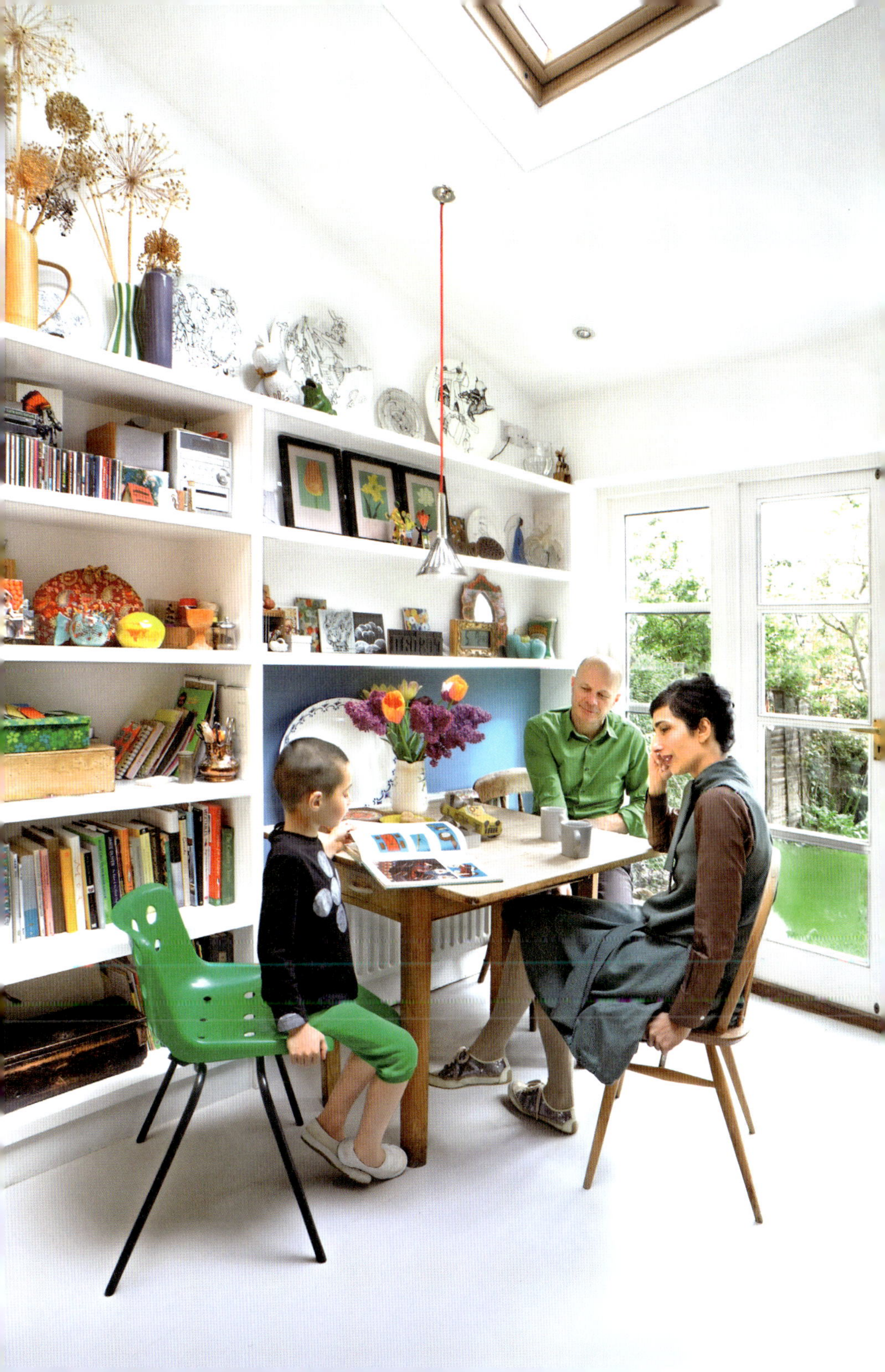

ゆったり一軒家で、のびのび育つユニークな感性

ロンドン南東部ストリーサムの静かな住宅街に暮らす、ルブナさんとニックさん。20世紀はじめに建てられた一軒家で、ふたつのベッドルームに書斎、広々としたリビングとキッチン、そして庭の奥にはママのアトリエがあります。ゆったりとした空間と環境を求めて、中心部から引っ越してきた一家。シンプルで機能的なスペースに、パパのイラストやママが手がけたタイル作品など、クリエイティブなタッチを加えています。ふたりとも家で創作しているので、ロシャンザミールくんが学校から帰ってくると、一緒に過ごす時間を大切にしています。

左：ダイニングテーブルでは、ロシャンザミールくんがたまごのパッケージを使って工作中。棚には、家族や友だちの思い出のオブジェが並びます。右上：家で仕事しているので、朝昼晩の食事は家族みんなで一緒に。右下：ロシャンザミールくんの物づくりのインスピレーションになっている1冊。

上：庭に面した明るいキッチン。カウンターの上には、これから庭に植える予定の小さな苗が並んでいました。左下：食器棚の中には、ガレージセールなどで、少しずつ集めたカラフルなカップがたくさん。右中：パパがイラストを描いたプレート。右下：ママが手がけるセラミックのキャニスターは、ひとつひとつ異なるデザインのふたが楽しい。

リビングに敷いたカーペットは、パパのおばあさんから譲り受けたヴィンテージ。新しいものよりも、物語を持つ家具を取り入れるようにしています。

左上：リビングにあるロシャンザミールくんの工作をしまうコーナー。右上：ガレージセールで見つけたイスの上には、これからスカーフに仕立てる予定の布を置いて。右中：ママのタイルで飾った暖炉。左下：結婚のお祝いに友だちがプレゼントしてくれた手彫りのハート型ボウル。右下：キャビネットの中にはパパのイラストやロシャンザミールくんの工作、ママの友だちからのプレゼントなどをディスプレイ。

右上：ロシャンザミールくんの部屋の窓からは、庭の様子がよく見えます。中：子ども部屋は、壁をグリーンにペイント。中央のトラの絵は、ママの誕生日プレゼントにと、ババと一緒に描いたもの。左下：おうちの庭と、家族旅行をしたオーストラリアで見つけた大好きな鳥をテーマに作った本。中下：庭で集めた植物を入れたボックス。右下：ロンドンバスの後ろには、ババが描いた作品。

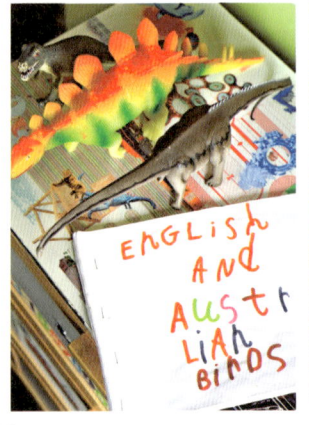

左上：ロシャンザミールくんがペイントしたミルクボトルは、5歳の誕生日のときに作ったデコレーション。左中：塀に飾ったカラフルなマスクも、原始人をテーマにした5歳の誕生パーティで。右上：庭の奥にあるママのアトリエで、みんなでクリエーション。左下：飾り棚に並ぶのは、ママが手がけた色鮮やかなセラミック・タイル。右下：作品づくりのための型や道具。

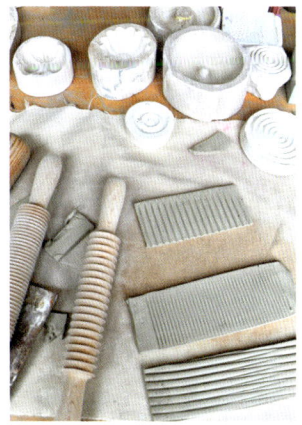

Emma Jeffs and Ed Mottershaw

エマ・ジェフス&エド・モッターショウ
surface designer and chef

Ida　アイダ
girl / 1 year old

よちよち歩きをはじめたばかりのアイダちゃん。
音楽にあわせて、小さなお尻と肩をゆらして踊る
かわいいダンスには、パパもママも思わずにっこり。
庭に通じるサンルームは、太陽の光がたっぷりの空間。
もともとはダイニングでしたが、アイダちゃんが
生まれてからは、プレイルームにもなっています。
テーブルの上に、身長の2倍はある大きな紙を広げて、
ママとお絵描きしたり、のりで紙をくっつけたり…。
自分の手を使う遊びに、最近は夢中です。

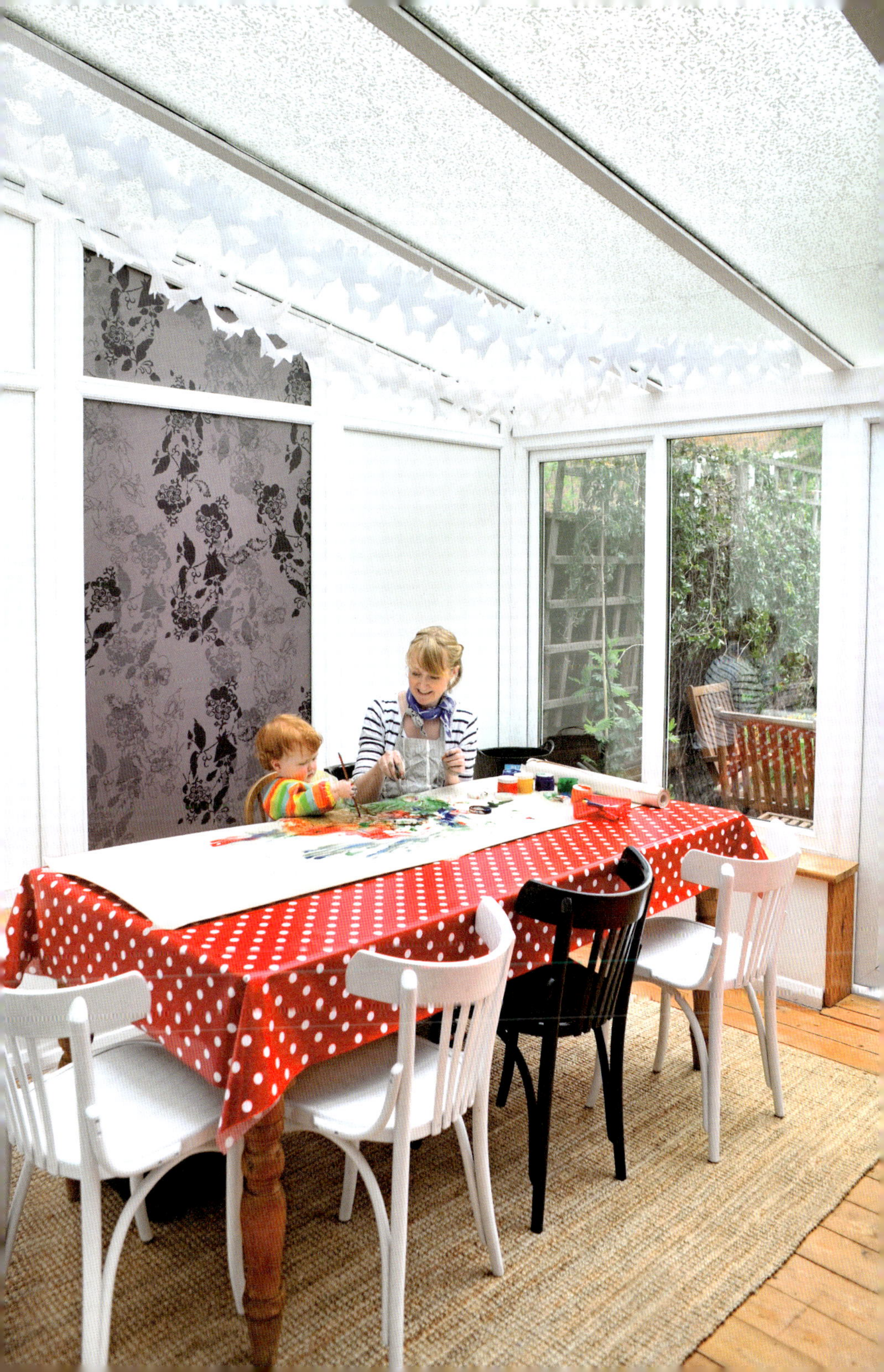

ネコたちもみんなが集まる、ぽかぽかサンルーム

ウィンドウ・フィルムやテキスタイルのデザインを手がけるエマさんと、ロンドンでも有名なガストロ・パブ「イーグル」のシェフをつとめるエドさん、そしてアイダちゃんに2匹のネコ、アリスとトニー。家族はロンドン南西部タールスヒルにあるテラスハウスに暮らしています。60年代の典型的な内装の家に、あたたかみのあるヴィンテージ家具、イラストやプリントの作品を取り入れて、いきいきとした雰囲気をもたらしています。ガラス屋根にママ・デザインのフィルムを貼ったサンルームは、やさしい光が降り注ぐ家族のお気に入りの場所です。

左：トニーはお隣さんがお引っ越ししたときに、一家の仲間入りをしたネコ。右上：つかまり立ちのアイダちゃんは、先週から歩きはじめたばかり。右下：ヴィンテージのコーヒーポットとガラスボウル。ミルク入れはセラミックデザイナー、ハンネ・ライスガードの作品。

左上：いろいろな色をミックスするのに夢中のアイダちゃん。右上：おもちゃ入れにしている「ロイドルーム」の収納ボックス。グリーンにペイントして、ふたにギンガムチェックのクッションを取り付けました。左中：ひなたぼっこが好きなアリス。左下：おもちゃは種類別に、ラベルを貼ったゴム製バスケットへ。右下：サンルームにある本棚は、手が届く下段をおもちゃの収納場所に。

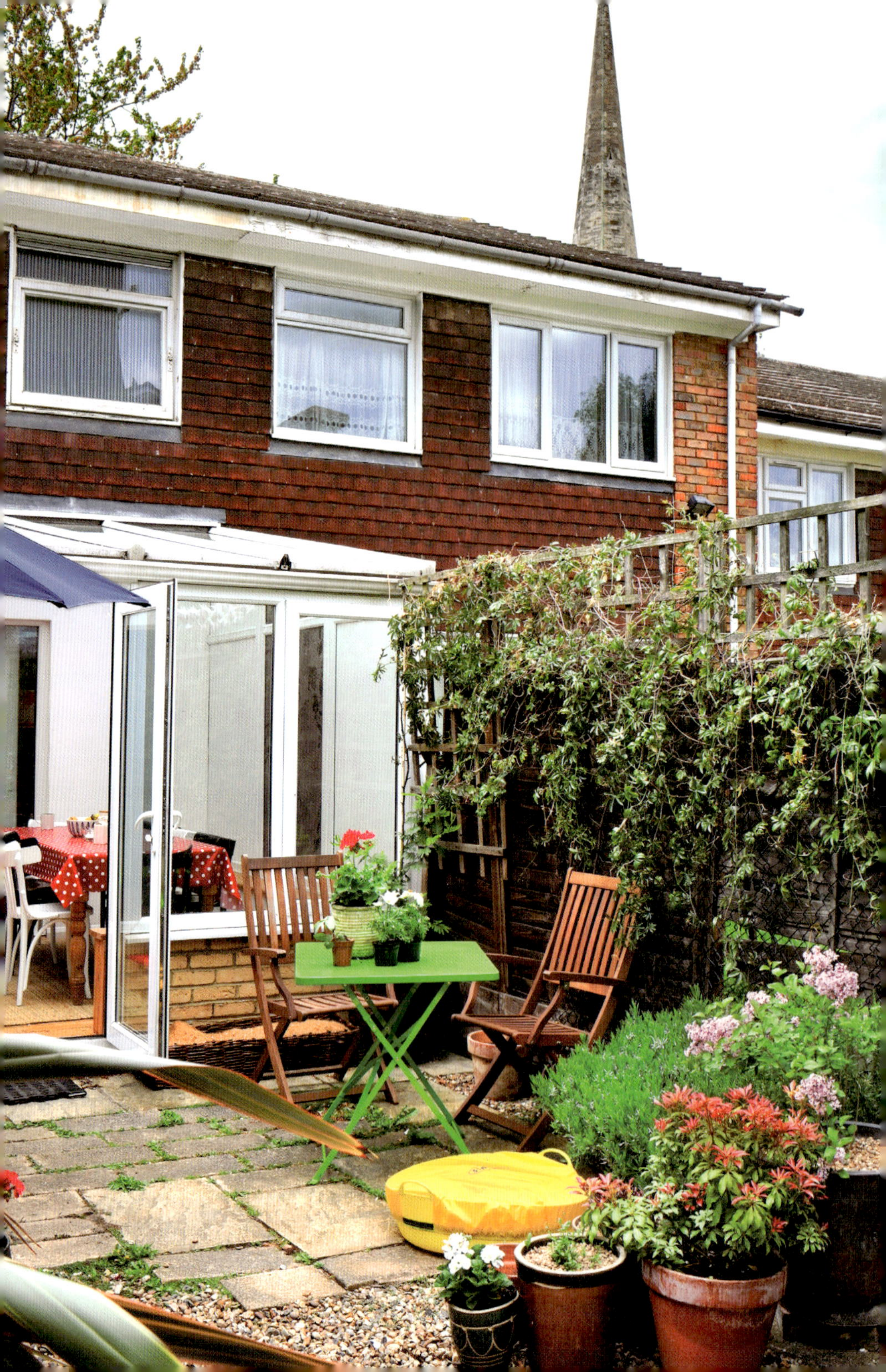

左上：お気に入りの遊びは、いないいないばぁ。左中：大きなポリスチレン製ティーカップを、ぬいぐるみ入れに。チェストは、ママのウィンドウフィルムでデコレーション。右上：中央にある座り心地のよさそうなイスは、パパやママが絵本を読んであげるときのために。赤い取っ手の収納はママの手づくり。左下：しあわせそうな笑顔がかわいいぶたのぬいぐるみ。右下：読書に親しんでもらいたいと、手にとりやすい位置に本を並べて。

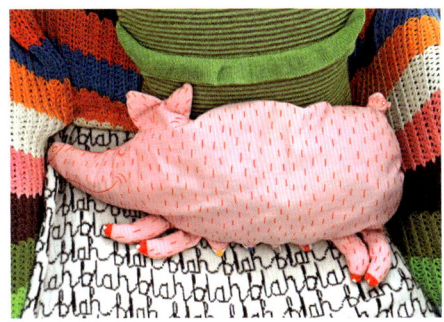

Nina Nägel and Simon Packer

ニナ・ナーゲル＆サイモン・パッカー
founder byGraziela and founder Fold 7

Jakob　ジェイコブ
boy / 2 years old

レーシングカーが子どものころから大好きだったパパ。
ジェイコブくんも同じように、車輪がついた乗り物を
ながめたり、遊んだりすることに夢中になっています。
そこでパパは、イギリスのスロットカー・ブランド
スケーリックストリックのレーシングコースを
ジェイコブくんの誕生日プレゼントに。
少しずつ集めはじめた、ミニチュアカーを使って
家族みんなで、レースゲームを楽しんでいます。
スピードをあげる車に、大よろこびです。

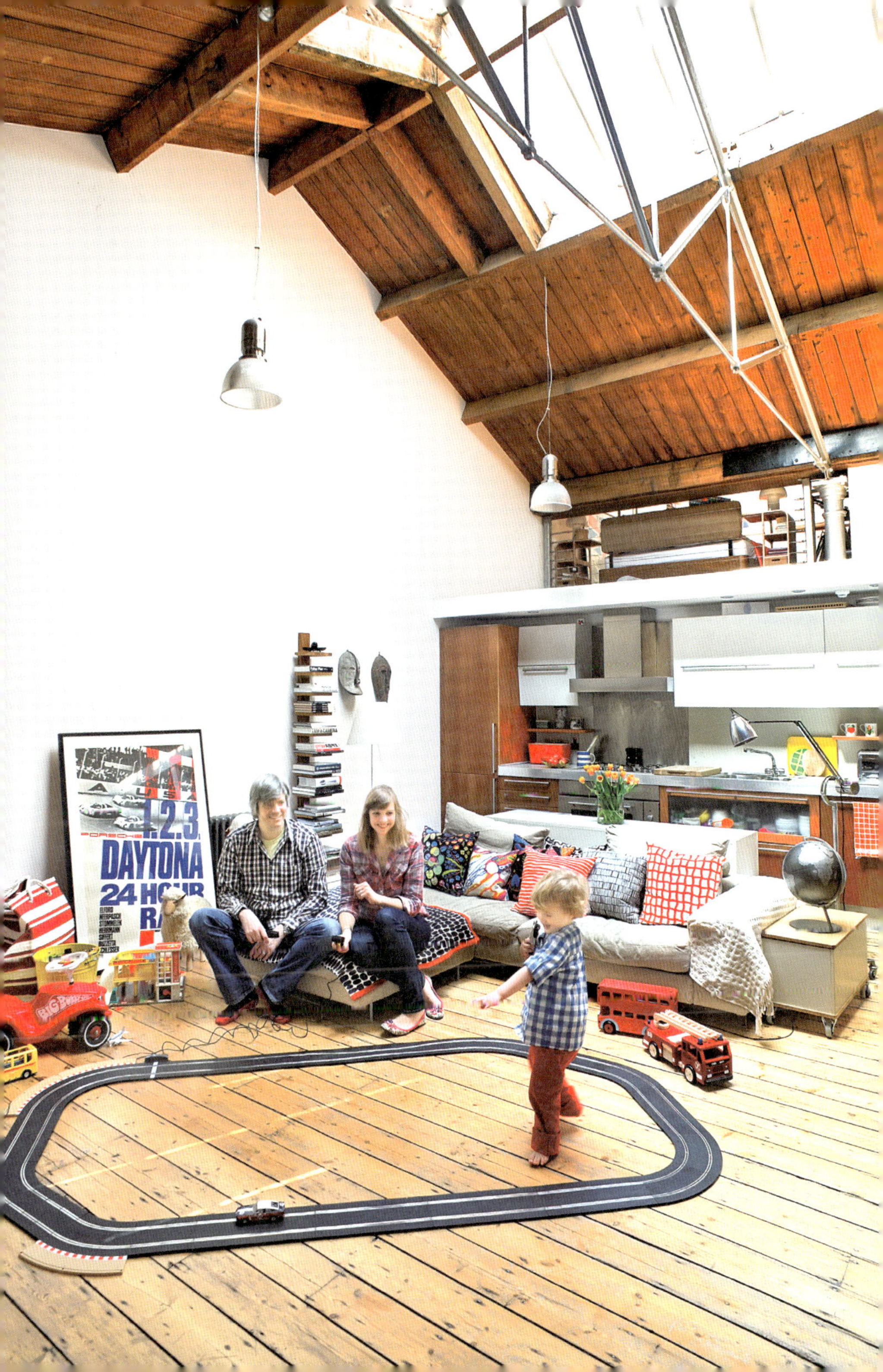
PORSCHE
1.2.3.
DAYTONA

セブンティーズのテキスタイルで、楽しいインテリア

テキスタイルデザイナーのお母さんとふたりで「バイグラジエラ」を立ち上げたクリエーターのニナさんと、広告やデザインのエージェント「フォールド７」の代表者サイモンさん。ロンドン東部にある家族の住まいは、スパイスの貯蔵庫として1800年代に使われていた建物で、いまでも歴史的建造物として保護されています。インダストリアルな雰囲気と「大きなひと部屋」になっているところが気に入っているという一家。料理をしたり、読書をしたり、遊んだり、それぞれが違うことをしていても、いつも一緒にいられます。

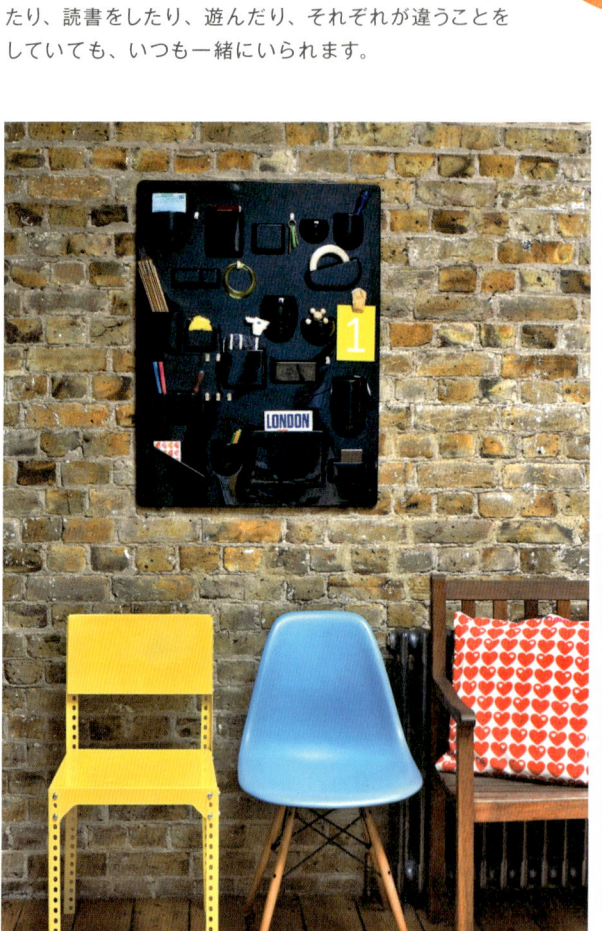

左：むき出しになったれんががリビングのアクセント。アンドレ・クラウザーがデザインした黄色いイスと、イームズのイスを並べて。右下：「バイグラジエラ」のコレクションは、70年代ドイツで活躍したおばあちゃん、グラジエラ・プレイザーがデザインしたテキスタイルをリメイク。クッションのハート柄プリントも76年の作。

左上：「バイグラジエラ」の子ども用食器セットは、ジェイコノくんもお気に入り。左中：缶バッジも、70年代に大人気だったモチーフを使ったもの。右上：ロフトにあるママのアトリエ・コーナー。左下：デスクの前にあるピンナップボードには、インスピレーションソースがたくさん。右下：ハンナ・ヴェルニングのテキスタイルでリメイクした、昔の学校用のイスの上でくつろぐネコのデイジー。

左上：おやすみの時間は「バイグラジエラ」のパジャマで。右上：ママが子どものころ作ってもらった壁掛け小物入れ。左下：ロフトのソファー・コーナーも、「バイグラジエラ」のクッションで楽しく。右中：イラストレーター、ロブ・ライアンの身長計と、友だちが手づくりしてくれたサルのぬいぐるみ。右下：ブロックで作った動物園を見せてくれたジェイコブくん。

カラフルでキュートなモチーフに囲まれたジェイコブくんの部屋。パーテーションは「1,2,3デザイン」と名づけたテキスタイルで、ママがハンドメイド。

Rosa Wiland and Gary Holmes

ローザ・ウィランド&ゲイリー・ホルムス
designer/owner LIttle Duckling and engineer

Frida フリーダ
girl / 3 years old

キッチンから木の階段を降りると、そこは小さなお庭。
夏のあいだは、緑の芝生の上がプレイグラウンド。
最近フリーダちゃんと一緒に、野菜を植えて
キッチンガーデンのコーナーを作ったばかり。
みんなで収穫ができるのを、楽しみにしています。
今日は大きく育って、鉢がきゅうくつそうになった
白いお花の苗を、植え替えてあげることに。
ママに手伝ってもらいながら、土をやわらかくしたり
お水をあげたり、愛情たっぷりにお世話してあげます。

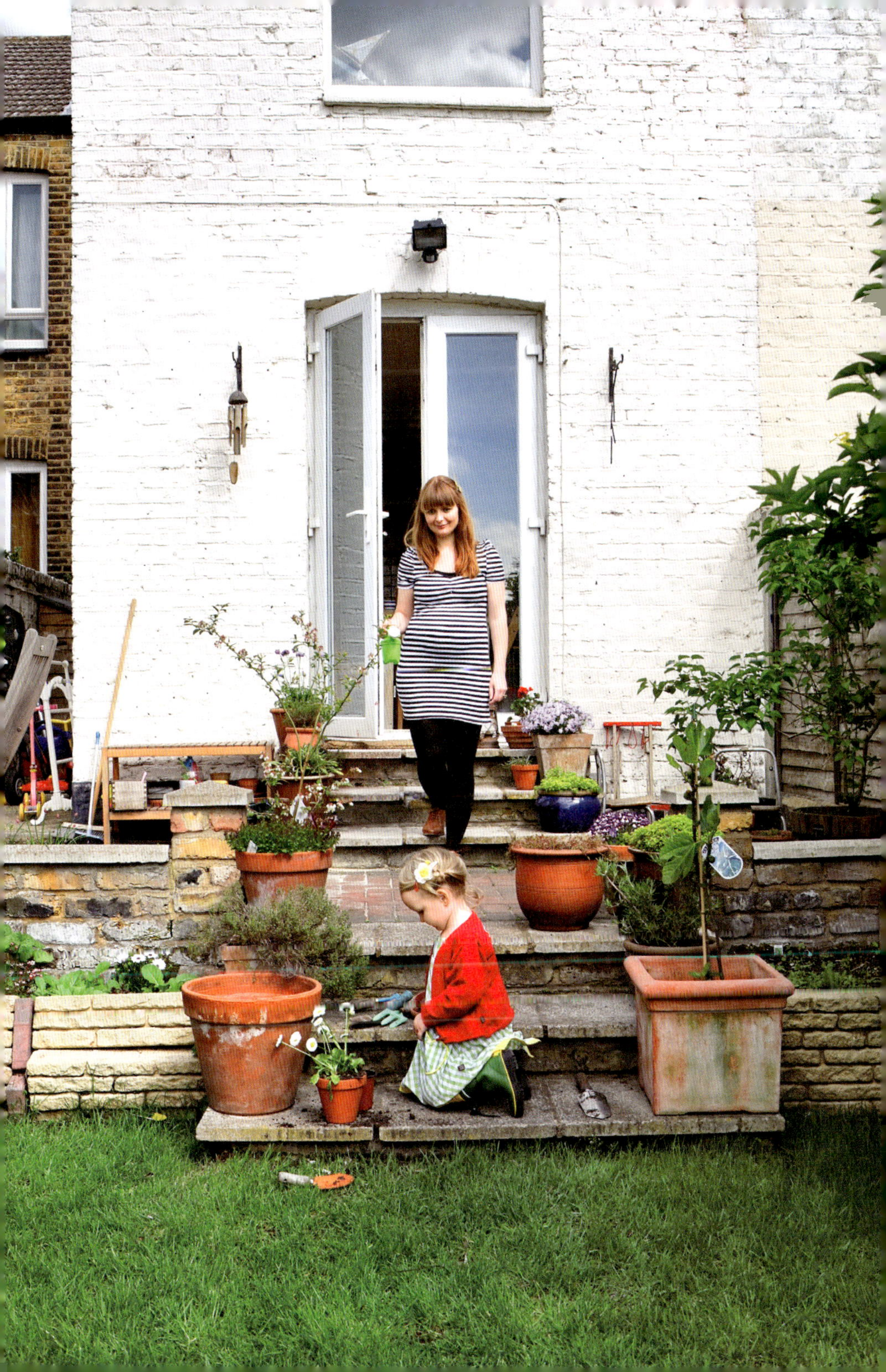

お庭の植物に旅の宝物、家族のよろこびが詰まった家

子ども服デザイナーのローザさんとエンジニアのゲイリーさんは、フリーダちゃんが生まれることになって、ロンドン北西部のケンサルライズにお引っ越し。ちょうどそのころ、ローザさんもママになることをきっかけに子ども服ブランド「リトル・ダックリング」を立ち上げました。このテラスハウスにやってきて植物がのびきっていた庭のお手入れをするうちに、ガーデニングが家族の楽しみになったのだそう。もうひとつの大きな楽しみは、みんなで旅をすること。最近でかけたインドやイタリアは、フリーダちゃんのいい思い出になっています。

左：お絵描き用デスクは子どものイマジネーションを育てる大事なスペース。右上：ママはいま妊娠中。あと1か月で赤ちゃんが産まれてくるのをフリーダちゃんも楽しみにしています。
右下：ドールハウスはおじいちゃんとおばあちゃんからのクリスマスプレゼント。

上：ママがお食事の用意をするあいだ、フリーダちゃんもこのキッチンでおままごと。中：お外で元気に遊んだあとは、カモミールティーとフルーツやナッツでおやつの時間。左下：かわいがっているテディベアも一緒に、午後のお茶を楽しみます。中下：お気に入りのバッグと靴。右下：フリーダちゃんが生まれる前のパパとママの思い出の写真。

左上:カイト柄のプリントがキュートなジャージ素材のドレスはママのコレクションから。右上:フリーダちゃんをモデルにしたママのブランド「リトル・ダックリング」のイメージビジュアル。左下:ママが作った気球、フリーダちゃんのお絵描き、お隣に住むダンサーのお姉さんからもらったバレエシューズなどをディスプレイ。右中:ママが子どものころ遊んでいたお人形。右下:手編みのルームシューズ。

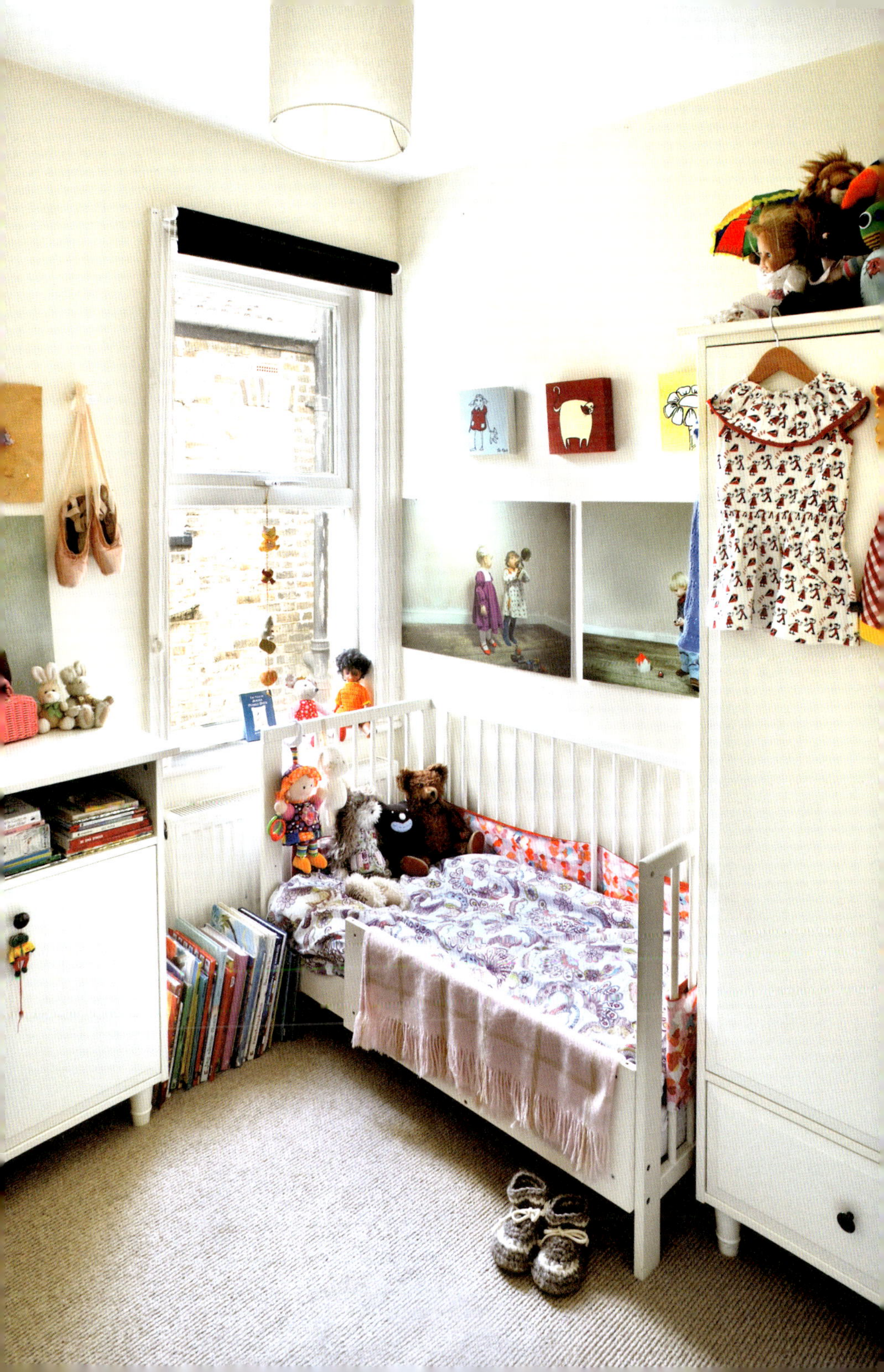

Judith and David Booth

ジュディス＆デイヴィッド・ブース
designer/owner Made With Love by Mrs Booth and graphic designer

Bea and Tom
ベア＆トム
1 girl and 1 boy / 9 and 7 years old

　　　1枚の大きな紙の上に、それぞれの画材を手に
　　　家族みんなで描く、ファミリー・ピクチャー。
　　やんちゃなトムくんは指を使って、絵の具でペイント。
　　自然が好きなベアちゃんは、フルーツや野菜のイラストを
　　　色えんぴつを使って、かわいらしく描いていきました。
　　　　そこにパパとママは、フェルトペンを使って
　　縁をつけたり、囲んだり、デコレーションを加えて…。
　　みんな集中して紙に向かうので、静かな時間が流れますが
　　にぎやかなおしゃべりが紙の上で繰り広げられます。

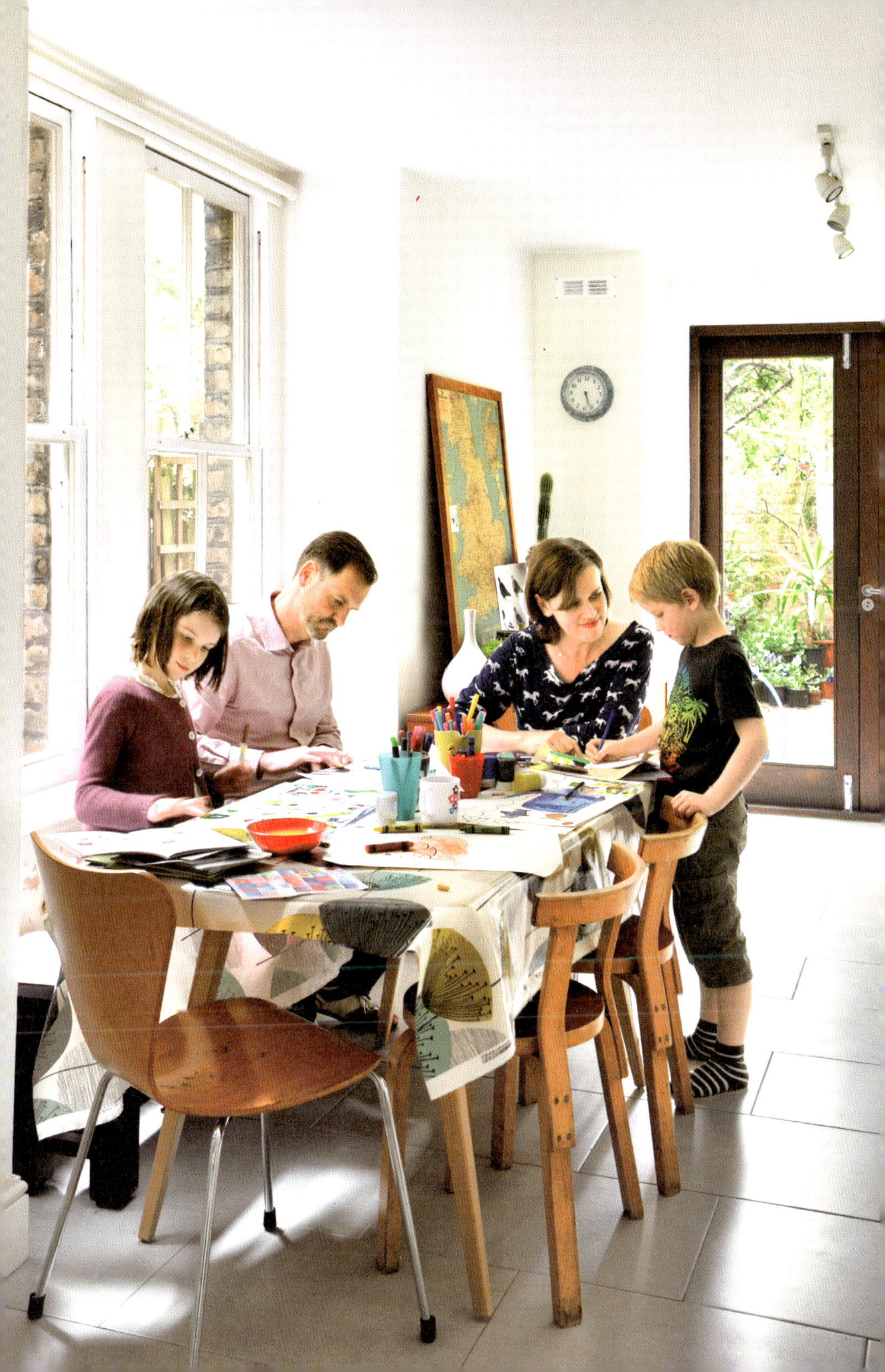

ものとの出会いを大切に、物語あふれるインテリア

ジュディスさんは「メイド・ウィズ・ラブ・バイ・ミセスブース」というブランドを立ち上げ、子どものためのおもちゃや本を手がけるデザイナー、デイヴィッドさんは広告などで活躍するグラフィックデザイナーです。彼らはベアちゃんとトムくん、そして2匹のモルモットと1匹のスナネズミと一緒に、ロンドン北西部のキルバーンに暮らしています。家の中にあるものは、すべて家族にとって思い出があるものばかり。掘り出し物を見つけるいちばんの名人はパパ。流行にとらわれることなく、いつどこで手に入れたという出会いの物語を大切にしています。

左:おばあちゃんから譲り受けた青と白のストライプの陶器、ベアちゃんが作った船など思い出の品々がディスプレイされた棚。右上:トムくんが作ったポップアップ絵本。右下:ママがデザインしたポスター、ブルーのフェルトマットの上には、ぬりえやバースデーカードを並べて。

左上：週末は水泳教室に通ったり、小さなアートギャラリーへ。右上：コラージュのワークショップで、トムくんが作ったカメ。左中：「キャス・キッドソン」のピローケースに、誕生祝いでもらった刺しゅう入りクッション、インドのキルトカバーで、ベッド周りを楽しく。左下：おもちゃ入れは、スーパーでもらったトマト箱。右下：トムくんが好きな地図を壁紙代わりに。「パイレーツ・アイランド」の地図は、5歳の誕生パーティのときのもの。

左上：ママの友だちのルー・ロタが手がけたプレート。右上：ベアちゃんが2歳のときに行ったイタリアで見つけたラジオと、「クロスキッツ」のネコ型クッション。左下：お隣りさんから譲ってもらったデスクに、保育園のイスをあわせて、ベアちゃんのお絵描きコーナーに。右中：3歳のころから大切にしている水色のミニトランクの上の編みぐるみは「ハガーマガーズ」のもの。右下：秘密のジュエリーボックス。

ママが9歳のころ使っていたクラリネットで演奏するベアちゃん。
レッスンをはじめて1年と半年が経ち、みるみる上達しています。

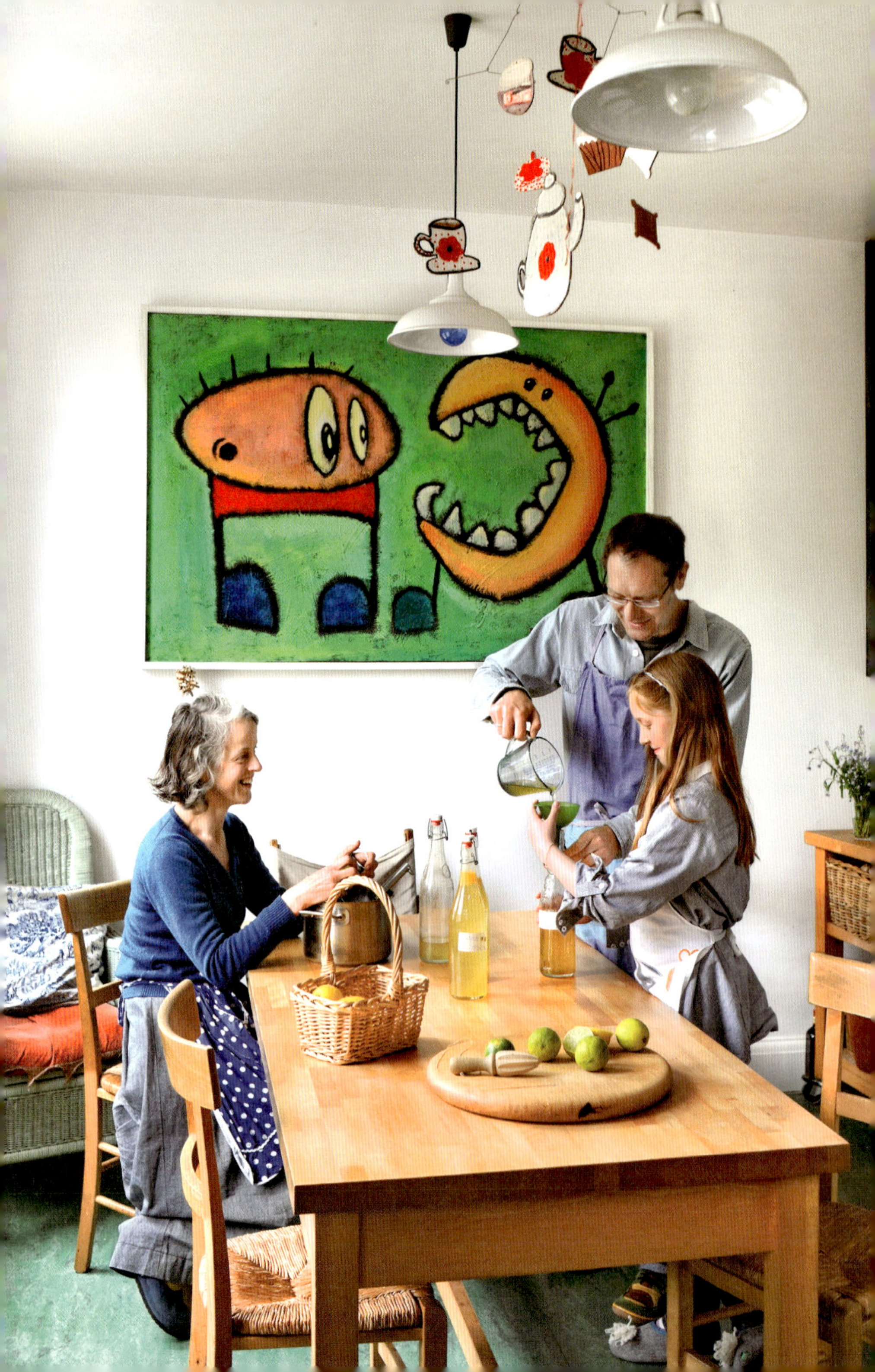

Jackie Parsons and Jonee Elwood

ジャッキー・パーソンズ＆ジョニー・エルウッド
designer/owner Bopeep Kids and web designer

Audrey　オードリー
girl / 11 years old

オードリーちゃんファミリーが暮らす家は、
ちょうど、ふたつのファーマーズマーケットのあいだ。
お料埋好きのパパとママは、地元でとれた食材を使うことを
大切にしていて、お買い物はいつもマーケットで。
今日は、イーストストリート・マーケットにでかけて
袋いっぱいのライムとレモンを手に入れてきました！
もうすぐオードリーちゃんとパパの誕生日。
パーティを2回も開くので、お客さまもたくさん。
ホームメイドのフルーツ・ジュースをふるまいます。

生まれてからずっと、親しみのある街と住まい

ロンドン南東部キャンバーウェルの大通りに面した、ゴシック・スタイルの大きなアパルトマンが家族の住まい。この建物に21歳のころから住んでいるというご主人のジョニーさんは、ウェブデザイナー。ジャッキーさんは、リサイクル布地を使った一点物のぬいぐるみやバッグなどを手がけるデザイナーです。オードリーちゃんが生まれたのも、まさにこの家。長年暮らす空間は思い出の品でいっぱいで、まるで家族の物語のパッチワーク・キルトのよう。ご近所さんたちとも仲よしで、オードリーちゃんの成長をあたたかく見守ってくれています。

左：赤くペイントしたキッチンのガスレンジ台コーナーは、どこかなつかしい雰囲気。中央の顔プレートは、ランサローテ島みやげ。右上：おばあちゃんから譲られたものや、お店やのみの市で見つけた缶のコレクション。右下：ライムとレモン、それぞれのボトルに手描きのラベルを貼って。

左上：欧米では「コンブチャ」と呼ばれる、紅茶きのこの発酵茶を入れているポットと、ラ・ゴメラ島から持ち帰ったバスケット。**右上**：オードリーちゃんが作ったモビール。**左中**：知性を高めるために、家庭でも長い単語を使うようにしているそう。**左下**：おじいちゃんが修復してくれたイスの上に、ママの代表作「ソック・モンキー」。**右下**：何面も窓がついて明るいリビングは、家族のお気に入りの場所。

左上：ひいおばあちゃんが作ったドールハウスは、いまオードリーちゃんのものに。看護婦さんのコスチュームは、おじいちゃんからの誕生日プレゼント。右上：友だちのアーティスト、マデリーン・ボールステイックスが作ったシャンデリア。右中：学校の友だちから贈られたジェリー・クロック。左下：ママがプレゼントしてくれたお気に入りの1冊。右下：100年以上経つドールハウスは、大切な宝物。

66

左上：オリジナルのキャラクターによる、ユニークな物語が繰り広げられる日記帳。右上：パパからプレゼントされたピンクの「アグリードール」と、ママ手づくりの「ソック・バーニー」。左中：ハンドメイドのティアラをつけて、キーボードを弾くオードリーちゃん。左下：ベッド頭上の壁には、友だちから旅のおみやげのキルト。右下：ママが作った段ボール製のドールハウス。

Sarah Coates and Peter Thal Larsen

サラ・コーツ&ピーター・タール・ラルセン
designer/owner Smith & Coates and journalist

Stella ステラ
girl / 5 years old

ステラちゃんが生まれてきたのをきっかけに、ママは
ウールやジャージをリサイクルして、子ども服を作るように。
アクセントは、ヴィンテージの布でのトリミング。
子どもたちの宝物や、おやつを入れられるような
クロシェ編みの大きなポケットもキュートです。
ステラちゃんと、いつも一緒にいられるようにと
クリエーションは、庭の奥にあるアトリエで。
次はどんなデザインの一点物の洋服が生まれるか
ステラちゃんも、楽しみにしています。

左上：ステラちゃんがデコレーションした段ボール製の犬は、名付け親からのプレゼント。左中：食べ物やワインの詰め合わせが入っていたクリスマスギフトのバスケットを、絵の具の収納に。右上：ママが子どものころから遊んでいたドミノで遊びます。左下：ピアノの上は、ステラちゃんのお絵描きや工作を飾るギャラリーコーナー。右下：アイロンビーズで作ったプリンセスたち。

女の子の笑い声と子犬の鳴き声、ぬくもりに包まれて

若いファミリーが多く暮らす、ロンドン北東部のクイーンズパーク。この地域にある家族向けの大きな家に4年前に引っ越してきた、子ども服ブランド「スミス＆コーツ」デザイナーのサラさんと、日刊紙でジャーナリストとして活躍するピーターさん。先月から子犬のディジーを飼いはじめたばかりで、ステラちゃんも夢中です。インテリアは整え過ぎるよりも、子どもや動物が自由に遊んで、ちょっと散らかっているくらいのほうが、ぬくもりを感じることができて愛おしいというパパとママ。そんな両親のやわらかな愛情が、家全体を包みます。

左：暖炉のまわりにある中国製の雑貨や家具は、パパとママが暮らしていた2年間の思い出の品。右上：宇宙や飛行機が好きで、ソーラーシステムにも興味を持つステラちゃん。将来の夢は天文学者！右下：ママが手がける赤ちゃん用シューズとキューブ型がらがら。ケーキ型の針山はママに編み物を教えてくれた友だちから。

左上：キッチンの中で、ママお気に入りのコーナー。牛のミルク入れはフランスとオランダから。左中：クラスメイトの似顔絵が並ぶキッチンクロス。右上：大きなダイニングテーブルのまわりを囲むのは、ずっと愛用している緑のイスとニューヨークに住んでいたときに見つけたベンチ。左下：愛情をこめてハンドメイドで作られる、ママのコレクション。右下：タグには、ウールのジャンパーを素材に作られた一点物であることが書かれています。

ぬいぐるみでいっぱいの人形用ベッドに腰かけたステラちゃん。ドールハウスはおばあちゃんからの贈り物で、壁や床を自分でペイントしました。

左上：小さな宝物をディスプレイした印刷屋さんのトレーは、ママが14歳のころにポートベローマーケットで買ったもの。右上：ちょうちょの絵は、ママが大好きなジョン・ディルノットの作品。左中：6歳上で仲よしの友だちが作ってくれた鳥のモビール。左下：ベッドに並ぶクッションはママの手づくり。右下：子ども部屋の壁にはステラちゃんのお絵描きや、両親の友だちから贈られた作品を飾って。

Charlotte and Ben Day

シャルロット&ベン・デイ
designer/owner Dandy Star and jewellery designer

Dorian and Gracie
ドリアン&グレイシー
1 boy and 1 girl / 8 and 6 years old

にぎやかな通りから、玄関のドアをあけて
ヴィクトリア朝時代に建てられた、家の中へ。
廊下を抜けると、パティオ付きの庭に出ます。
ロンドンの中心地とは思えないほど、静かな庭は
リラックスできる、家族みんなのお気に入りの場所。
そしてキッチンガーデンは、自分たちが食べる物について
子どもたちも知ることができる、大切な教室です。
今日は夏のお楽しみ、トマトの苗を育てるために
プランターに種をひとつひとつ植えています。

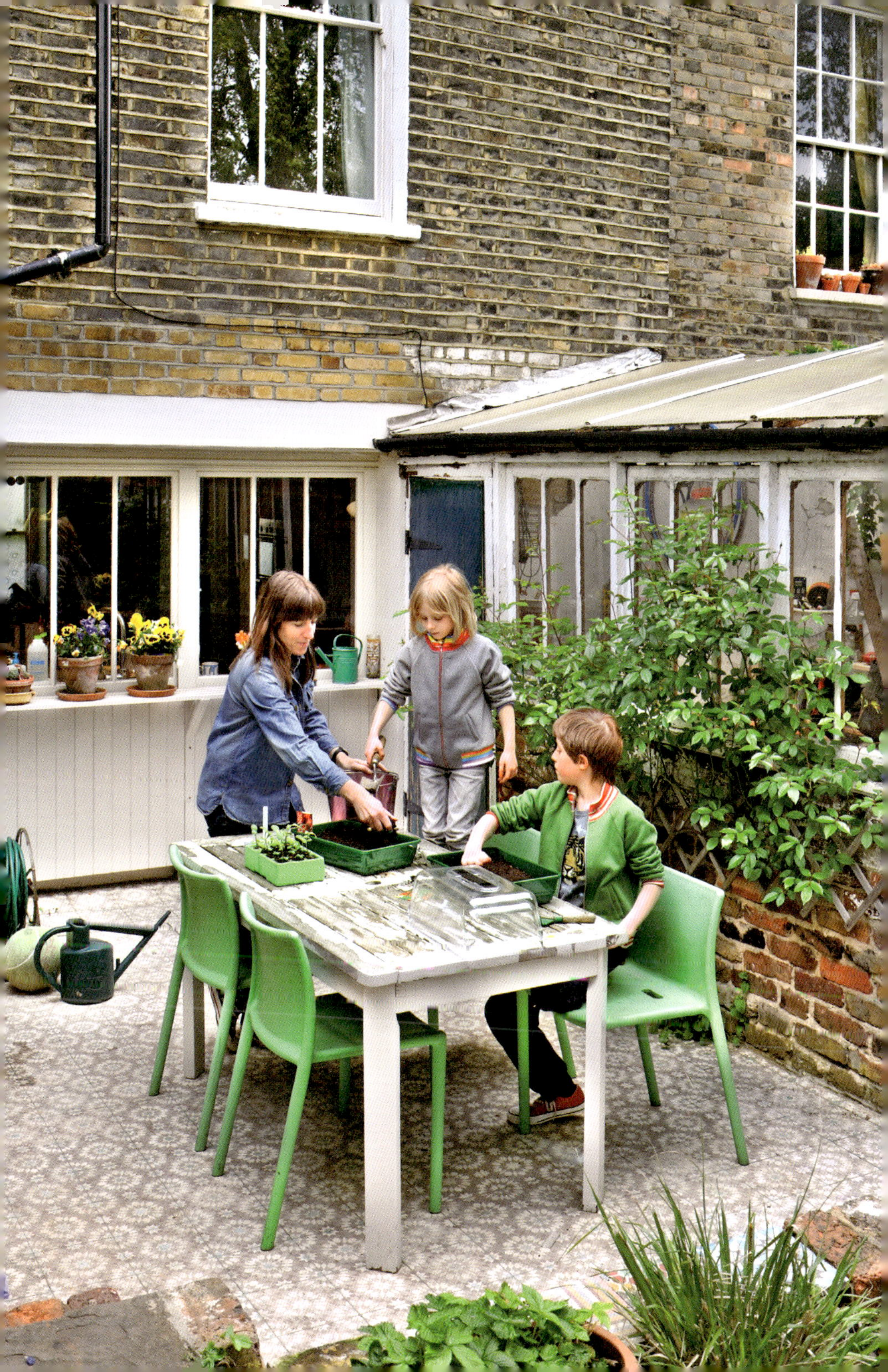

アートに古いオブジェや自然、すべてに愛情をそそいで

シャルロットさんはホームウェアや子ども服などを手がけるブランド「ダンディ・スター」を、友だちのローズさんとともに立ち上げたデザイナー。そしてベンさんは、ノッティングヒルにショップを持つジュエリーデザイナーです。家族が暮らすロンドン東部のハガーストンの家の中は、さまざまなテイストがミックスしつつも、それぞれに愛情が感じられるものばかり。アーティストのアトリエのような自由な雰囲気の中、子どもたちものびのび。家族で過ごす時間は、楽しみながら学ぶことができるモノポリーなどのボードゲームでよく遊びます。

上:パティオに続く庭のお手入れは家族みんなで。ダックスフントのデイジーも、土の香りをくんくん。左下:植物が好きなママのために、冬のあいだも楽しめる花をグレイシーちゃんが作ってくれました。右下:「PEACE」と「LOVE」のメッセージ入りマグカップは「ダンディ・スター」のもの。

左上：家族の趣味はセーリング。子どもたちは月曜日に水泳教室に通っています。左中：ママ手づくりのバッグ。右上：リビングの壁には、パパとママと仲のいいアーティストやフォトグラファーの作品をディスプレイ。左下：グレイシーちゃんが描いた動物たち。キッチンのテーブルでママがお仕事をしていると、そばでお絵描き。右下：ママのアシスタントさんが作ってくれたクッション。

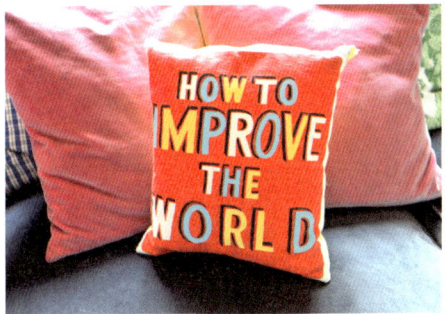

左上：グレイシーちゃんの部屋は、ピンクと赤のキュートな空間。「イケア」の二段ベッドは、ステッカーでオリジナルの飾り付けに。右上：ヴィンテージのサマードレス。右中：最近、興味を持ちはじめたメイク用品は、おばあちゃんがくれたボックスの中に。左下：誕生日ごとに贈られる年齢の数字は、大切な宝物。右下：キャビネットの上に、フラメンコシューズやお気に入りのおもちゃを並べて。

左上：ドリアンくんのおもちゃは、果物箱で作った飾り棚に。右上：ヴァレンタインにグレイシーちゃんが作ったカード。左中：スピタルフィールズ・マーケットで見つけた絵本は、ママのインスピレーション・ソースとしても。左下：ワインの木箱をレゴの収納に。右下：よくふたりで遊んでいるドリアンくんとグレイシーちゃん。パパとママが気がつかないうちにデイジーも一緒にベッドで眠っていることも。

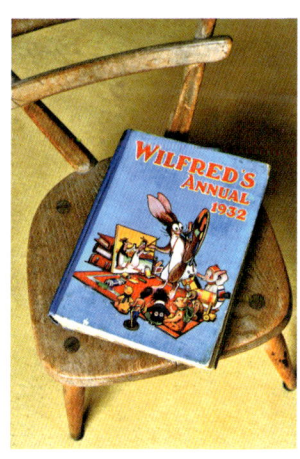

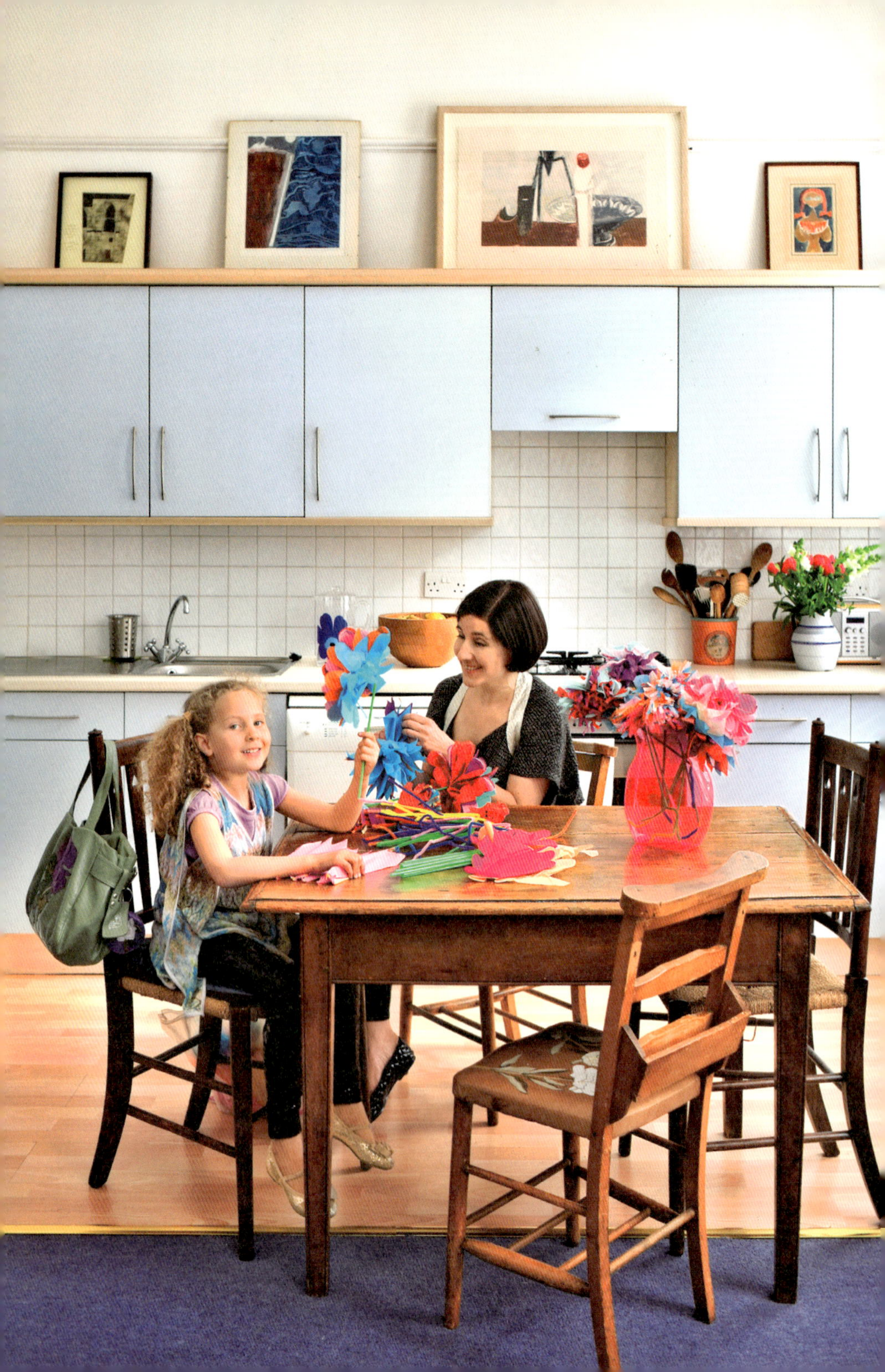

Susannah Hunter

スザンナ・ハンター
handbag designer

Violet ヴァイオレット
girl / 5 years old

ハンドバッグや家具に、レザーのアップリケで
さまざまな種類の美しい花たちを咲かせるママ。
ヴァイオレットちゃんと一緒に、ルーフガーデンに
花や植物を植えるのも、家族の楽しみのひとつ。
ベビーシッターさんと帰宅したヴァイオレットちゃん。
ママとの時間はまず、ペーパーフラワー・キットで
ふたりが大好きなお花を作って、遊ぶことに。
色とりどりの薄紙を重ねて、花びらを広げて…。
ほら、お顔と同じくらい大きな花ができました。

色とりどりの花とアートが咲く、エレガントな庭園

ハンドバッグデザイナーのスザンナさんが、ヴァイオレットちゃんと一緒に暮らすフラットは、ロンドン中心部のブルームスベリー。住まいは「スザンナ・ハンター」のアトリエ・ブティックのすぐ近くなので、働くママとしてはとても理想的な環境。ガーデニングが趣味で、そろそろヴァイオレットちゃんと一緒に自然に触れたいと思っていたママ。ルーフガーデンが付いた、1階の部屋に引っ越してきたばかりです。金属は取り入れず木製の家具を中心に、あたたかな色合いでまとめたインテリアから、ロマンチックで女性らしいエレガンスが漂います。

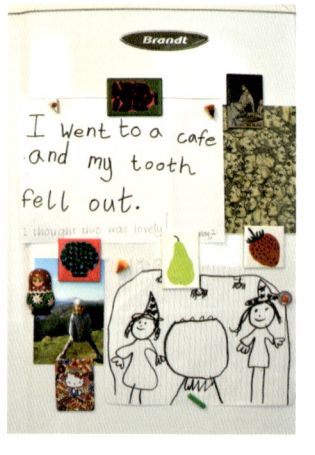

左:かわいらしいルーフガーデンは、ママのお兄さんアンドリュー・ハンターがデザイン。右上:教育については、ヴァイオレットちゃんが楽しむことがまず大切と考えているママ。右下:冷蔵庫のドアには、ヴァイオレットちゃんのメモとお絵描きをピンナップ。

左上：スコットランドの作家、デイヴィッド・ミッチーの食器棚。左中：ママが手がけたクッション。右上：リビングの中心は、おばあちゃんのアン・パトリックが、1978年にイタリアで過ごした家族のヴァカンスの様子を描いた作品。左下：風景画家だったひいおじいちゃんがペイントしたジュエリーボックスに、ヴァイオレットちゃんが作ったカードをのせて。右下：結婚祝いの水差しと、おじさんの車で撮影した写真。

左上：ヴァイオレットちゃんのベッドのまわりには、おばあちゃんのやさしいタッチの作品を飾って。
右上：ババが作ってくれた赤いランプを、お気に入りのステッカーでデコレーション。右中：ドールハウスは2歳のときの誕生日プレゼント。左下：6時間の列車の旅のあいだに、友だちや家族35人の顔を描いたノート。右下：アトリエで働くスタッフの結婚式のためにクレタ島へ行ったときの写真。

左上：窓辺を楽しく飾るウォールステッカーは、ベビーシッターさんからのヴァンクーヴァーみやげ。
右上：お気に入りの1冊は『シンデレラ』。**左中**：最近は洋服も自分で選ぶようになったヴァイオレットちゃんのヘアアクセサリー。**左下**：おばあちゃんがペイントしてくれたボックス。**右下**：ピンクのチェストにかけた「スザンナ・ハンター」のバッグ。キッズサイズを持っているのはヴァイオレットちゃんだけ。

Genevieve Closuit and Pascal Rousson

ジュヌヴィエーヴ・クロスーツ＆パスカル・ルーソン
designer/founder Madame Chalet and artist

Pablo and Lula
パブロ＆ルーラ
1 boy and 1 girl / 13 and 9 years old

パブロくんとルーラちゃんの家のドアをあけると
廊下の天井には、おもちゃのゴンドラリフト。
リビングには、ヴィンテージのおもちゃがたくさん！
ダイニングも、カラフルでキッチュな雑貨でにぎやかに。
スイス出身のパパとママは、古いオブジェが大好き。
どの部屋にもスイスから持ち帰ってきたおみやげや、
フリーマーケットでの掘り出し物が並ぶ、楽しい空間です。
週末には家族でガレージセールへでかけます。
子どもたちも5ポンドを手に、宝探しに夢中です。

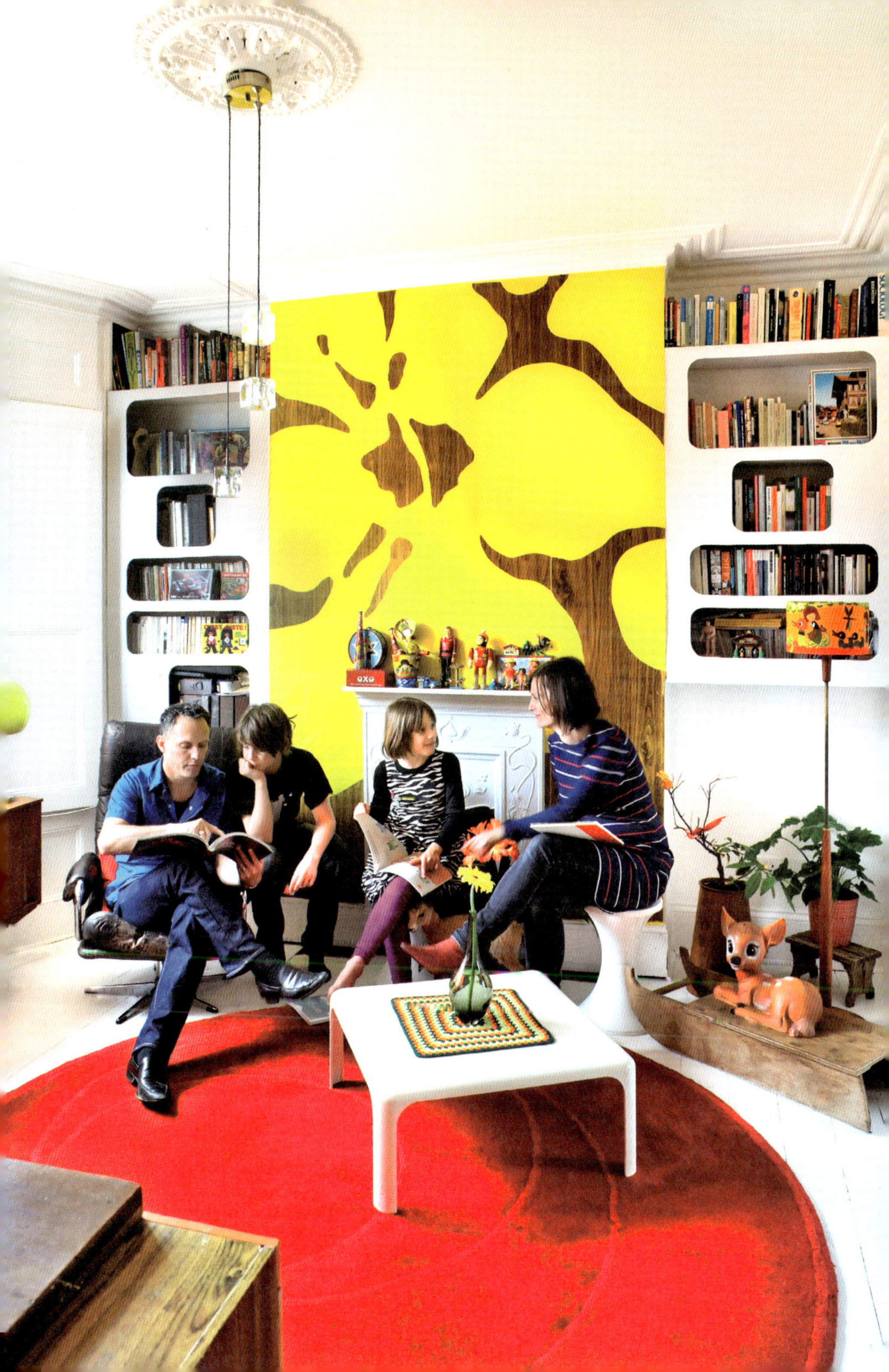

カラフルで楽しいインテリアは、おもちゃ箱の中のよう

コレクションしているヴィンテージ雑貨にインスパイアされたオンラインショップ「マダム・シャレット」を立ち上げたばかりのジュヌヴィエーヴさんとアーティストのパスカルさん。そしてお料理とピアノ演奏が得意なパブロくんと、サーカス・クラブでの運動が好きというルーラちゃん。家族4人は、7年前からロンドン東部のハックニーに暮らしています。このあたりは、ここ数年のあいだに家族にも親しみやすいエリアへと大きく変化したそう。一家の趣味は部屋のデコレーション。のみの市で見つけた掘り出し物を並べて、模様替えを楽しんでいます。

左：家具屋さんがルーラちゃんにプレゼントしてくれた青いテディベア。その色にあわせて、暖炉コーナーを青くペイントしました。右上：ママがアムステルダムで見つけた50年代のクラッチバッグ。右下：木目の壁紙を貼ったコーナーに、ママのラッキーチャームのぬいぐるみをディスプレイ。

左上：陶器の人形とドールハウスは、ロンドンのあちこちのガレージセールで集めたもの。右上：スイスのチャリティーショップで集めた、ヴィンテージ絵本。左中：金曜日の夜は、スクリーンを広げて映画上映会をするのが家族の楽しみ。左下：キッチンの壁を飾る、ヴィンテージのホーロー看板コレクション。右下：ポップでキッチュなデザインと色が集まったダイニングキッチン。

左上：ゆかいな音が出る50年代のびっくり箱のおもちゃ。左中：カナダで作られたベッドカバーをリメイクして、カーテンに。右上：パパとママの寝室もカラフルな空間。モノクロの写真は、友だちのアーティストの作品。左下：コレクションしている素材も大きさもさまざまなアルファベット型オブジェで、子どもたちはことばを作って遊びます。右下：シルバーのテディベアはクリスマスの贈り物。

左上：パパがペイントしたクッション。右上：パブロくんが出かけているあいだに、パパとママが壁にインベーダーを描いてサプライズ・プレゼント！ 左中：週に1回ピアノ教室に通っているパブロくん。左下：通りに捨てられていた棚を持ち帰ってリユース。パブロくんの小さな宝物が並びます。右下：パブロくんの部屋のインテリアもユーズド家具屋さんやチャリティーショップなどで集めた家具ばかり。

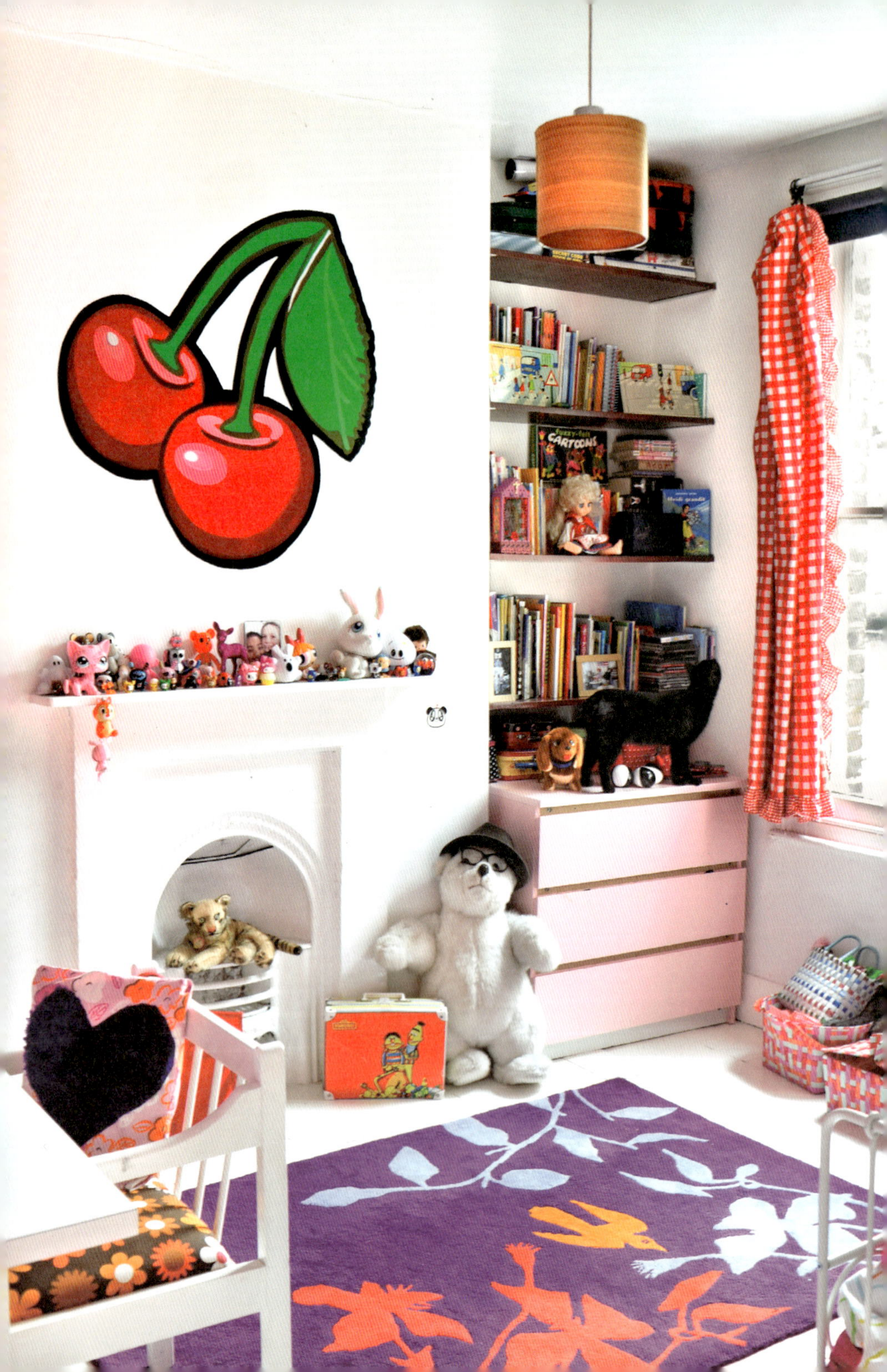
CARTOONS

左上：マンガを描いているルーラちゃん。 左中：暖炉に飾ったトラのぬいぐるみは、おばさんから。 右上：ベッドそばのパンダと、反対側の壁のチェリーは、ルーラちゃんがお願いしてパパに描いてもらったもの。 左下：ベッドにはヴィンテージ布地で作ったクッション。キッチュなブランケットは友だちからの贈り物。 右下：レゴブロックで作ったカトラリー入れをカフェで見つけて 子どもたちが作ったペン立て。

Georgia and Alaistair Steele

ジョージア＆アラスター・スティール
3D designer and spatial designer

Benjamin　ベンジャマン
boy / 1 year old

ベンジャ、ベンジャ、と呼びかけるパパとママ。
ベンジャマンくんも、その声にこたえて、にこにこ。
ボールを投げたり、音楽を聞いてダンスしたり
パパとママのお気に入りの木のおもちゃで遊んだり。
みんなで楽しめる時間を大切にしています。
ベビーベッドには、ママが作ったぬいぐるみたち。
フェルトのファーストシューズに、ふくろう、ネコ。
このうちで暮らす2匹のネコをモデルにした
ぬいぐるみは、ベンジャマンくんのお気に入りです。

左上：ママが刺しゅうした洋服に、ベンジャマンくんが6か月のときに型取りした足のオブジェ。 左中：ワニが登場してくる最後のページがお気に入りの絵本。右上：ぬくもりのある木のおもちゃは、遊びの時間以外でも、いつもそばに置いておきたいものばかり。左下：友だちから贈られた誕生祝いのカードや絵をディスプレイしたコーナー。右下：のみの市で見つけたキッチンクロス。

ぬくもりのある古い家具やおもちゃに囲まれて

ジョージアさんとアラスターさんは、ふたりともロンドンの有名なアートスクール、セントラル・セント・マーチンズで教師をつとめるデザイナー。ベンジャマンくんをみごもったことをきっかけに、ふたりはロンドン北部ホロウェイにあるメゾネットの部屋に引っ越しました。ホロウェイはサッカークラブ、アーセナルの本拠地として有名な場所。スタジアムで試合が行われる日のにぎわいには、ベンジャマンくんも興奮気味。生まれてすぐに音楽に反応して、笑顔を見せるようになったというベンジャマンくん。いろいろな音に興味を持っているようです。

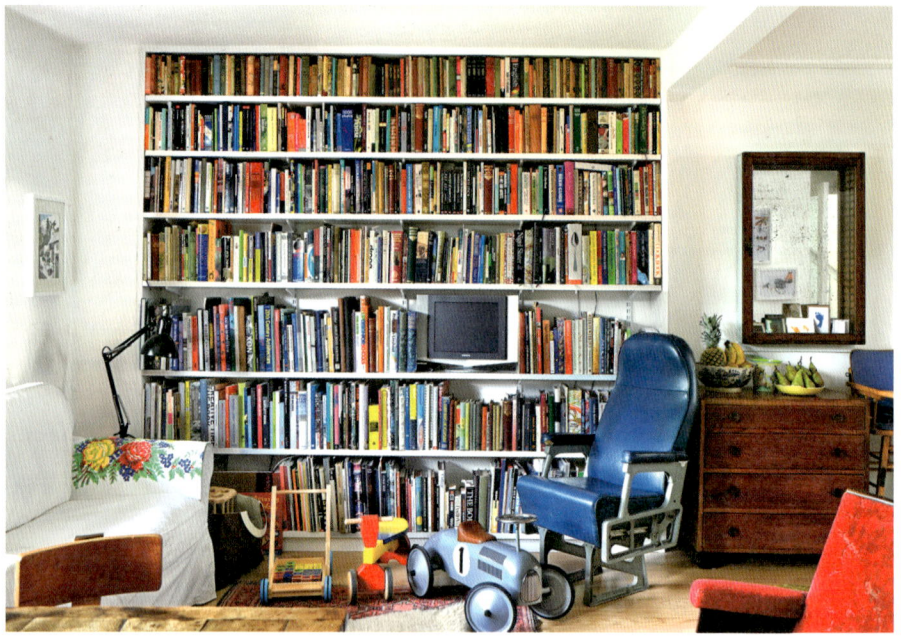

上：ぎっしりと本が並ぶ棚の前の青いイスは、50年代に飛行機で使われていたもの。古いオブジェをコレクションしているパパとママは、飾るだけでなく実際に使って楽しんでいます。左下：ベンジャマンくんのおやつは、新鮮な果物。右下：1歳のお誕生日の記念の品が並ぶコーナー。

左上：イギリスのサドラー社が60年代に作ったマグカップ。右上：ママ手づくりのチェリーケーキ。左中：まだ小さいベンジャマンくんのことを、ふたりで等しく見守っていたいと考えているそう。左下：パパの家族の中で受け継ぎながら使い続けているハイチェアー。右下：ママの両親から譲り受けたテーブルは、18世紀に作られたアンティーク。大きな花瓶は結婚式のために購入した思い出の品。

階段をのぼると、ベンジャマンくんの部屋。ベッドの上にはママ
手づくりの動物モビールが揺れています。

左上：ベンジャミンくんが家族からもらった贈り物が並んだ棚。オレンジのネコは貯金箱で、コインを入れて遊ぶのが大好き。左中：白いコットンバッグにペイントしてオリジナルに。右上：おむつ換え台の下には、着替えやケアグッズを整理して。左下：ママが活版印刷用のスタンプでプリントしたクッション。右下：フェルト素材の古着をリサイクルして作ったぬいぐるみたち。

Karine Kong and Steve Kirk

カリーヌ・コン&スティーヴ・カーク
founder BODIE and FOU and finance director

Mila　ミラ
girl / 5 years old

ママが子どものころ、お母さんが作ってくれたパンケーキ。
おやつによく食べていた、思い出の味です。
そのレシピを、お料理が得意なパパが簡単にアレンジ。
近所の家に、交代でお泊まりしているミラちゃん。
お友だちがやってきたときは、パンケーキでおもてなし。
子どもも大人も、大好きなメニューです。
今日はエプロンをしたミラちゃんが、材料を混ぜる係。
次にお友だちが遊びにきたときは、ミラちゃんが
おいしいパンケーキを作ってあげられるかな？

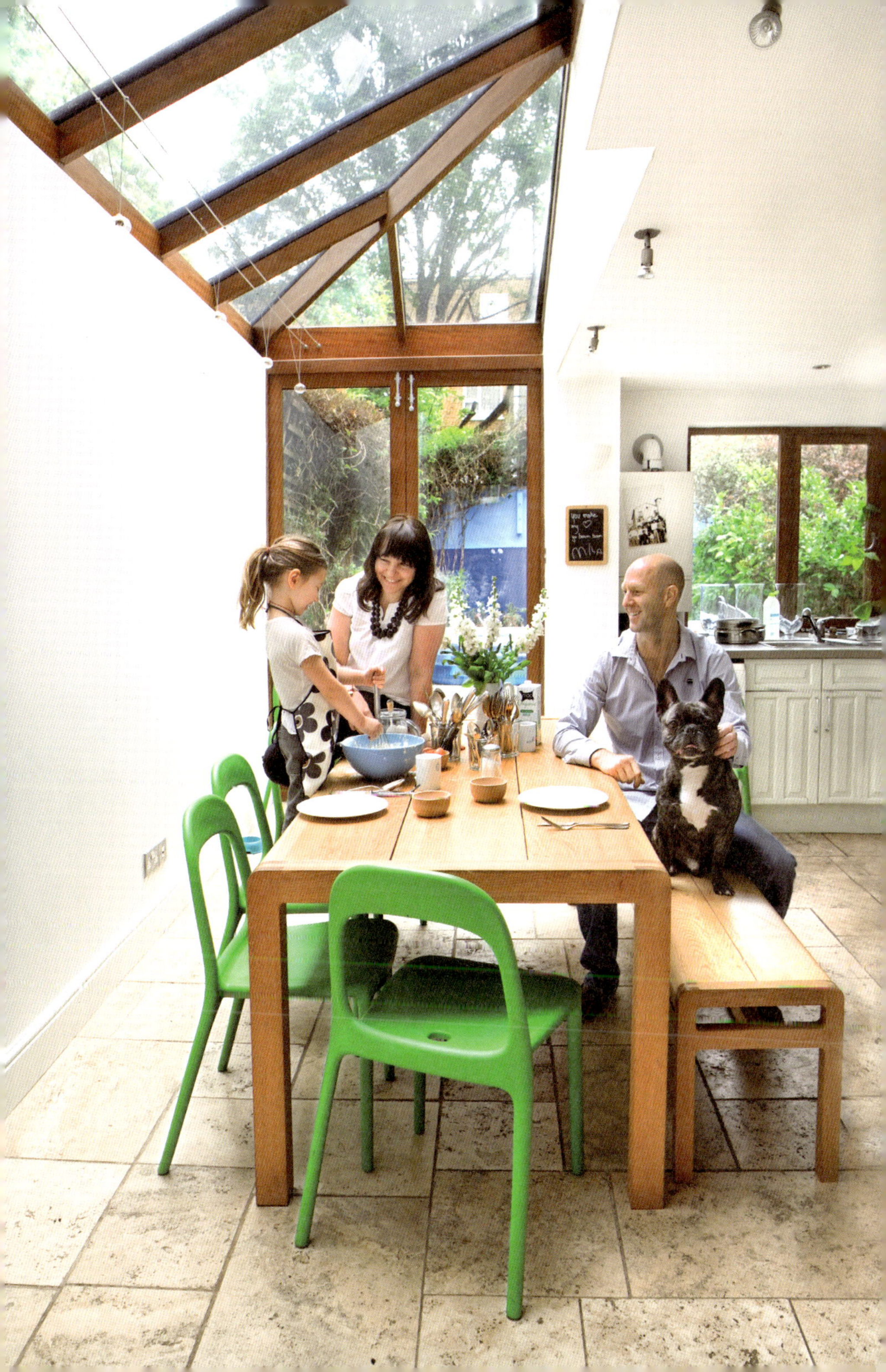

たっぷりの太陽の光で輝く、ミニマル・インテリア

ロンドン西部ブローク・グリーンの静かで緑も豊かな住宅街に、一家は半年前に引っ越してきたばかり。デザイン雑貨を扱うオンラインショップ「ボディ&フー」をお姉さんと一緒に立ち上げた、フランス出身のカリーヌさんと、投資会社に務めるニュージーランド出身のスティーヴさん。そんな両親にもとで育ったミラちゃんは英語とフランス語のバイリンガルです。独自の語学センスも育っているようで、寄り添って眠るという意味の「カドル」と、抱きしめるという「ハグ」を組み合わせて、家族で一緒に眠ることを「ハグル」と呼んだりしています。

左上：ワインラックの上には、ミラちゃんと、いとこのリリィちゃんの写真をコラージュ。素朴なマルシェ・バスケットはフランスで。右上：夫婦ふたりのときはジョギング、ミラちゃんが一緒のときはサイクリングをするのが楽しみ。右下：パンケーキは「ライルズ・ゴールデンシロップ」をたっぷりかけて、めしあがれ！

左上：冷蔵庫にはミラちゃんが描いたパパの絵。右上：フランスの海岸を散歩したときの写真。キャンドル型ライトは「イケア」のクリスマス・アイテム。左中：ママのお姉さんが撮影したラグビーの写真をはじめ、家族のポートレートをさまざまなフレームでディスプレイ。左下：お気に入りのぬいぐるみ「ドギー」にドレスを着せて。右下：ミラちゃんが座っているボール・チェアは「ボディ＆フー」で。

左上：しろくまのスノーボールは、フランスみやげ。右上：「ボディ&フー」で扱っているロボットのあいだにある、ぬいぐるみは「kayatine」のもの。左下：ミラちゃんのお絵描きは、鳥型の洗濯ばさみでロープに吊るして。右中：大きなぬいぐるみはママのお姉さんの手づくり。バレリーナの絵は、ニュージーランドに住むいとこが描いたもの。右下：毎朝、洋服は自分で決めます。

ミニマルでシンプルなスタイルが好きというママがデコレーションしたミラちゃんの部屋。壁も床も白くペイントして、雑貨で色を加えていきました。

Nicole Frobusch and Paul Winter-Hart

ニコール・フロブッシュ&ポール・ウィンター=ハート
designer/owner Nixie Clothing and drummer Kula Shaker

Ivy and Faye
アイヴィ&フェイ
2 girls / 10 and 7 years old

子ども服ブランドを立ち上げる前は、ダンサーだったママ。
パパはバンドでドラムスを担当するミュージシャン。
アイヴィちゃんもフェイちゃんも、それぞれに
自由なスピリットをもった、クリエイティヴな女の子。
妹のフェイちゃんは少しシャイで、物を作ったり
読書をしたりする時間が、お気に入りです。
来年セカンダリー・スクールへと進むアイヴィちゃんは
ヒップホップを聞いたり、ダンスを踊ったりするのが好き。
リズム感がすばらしく、ドラム演奏にも夢中です。

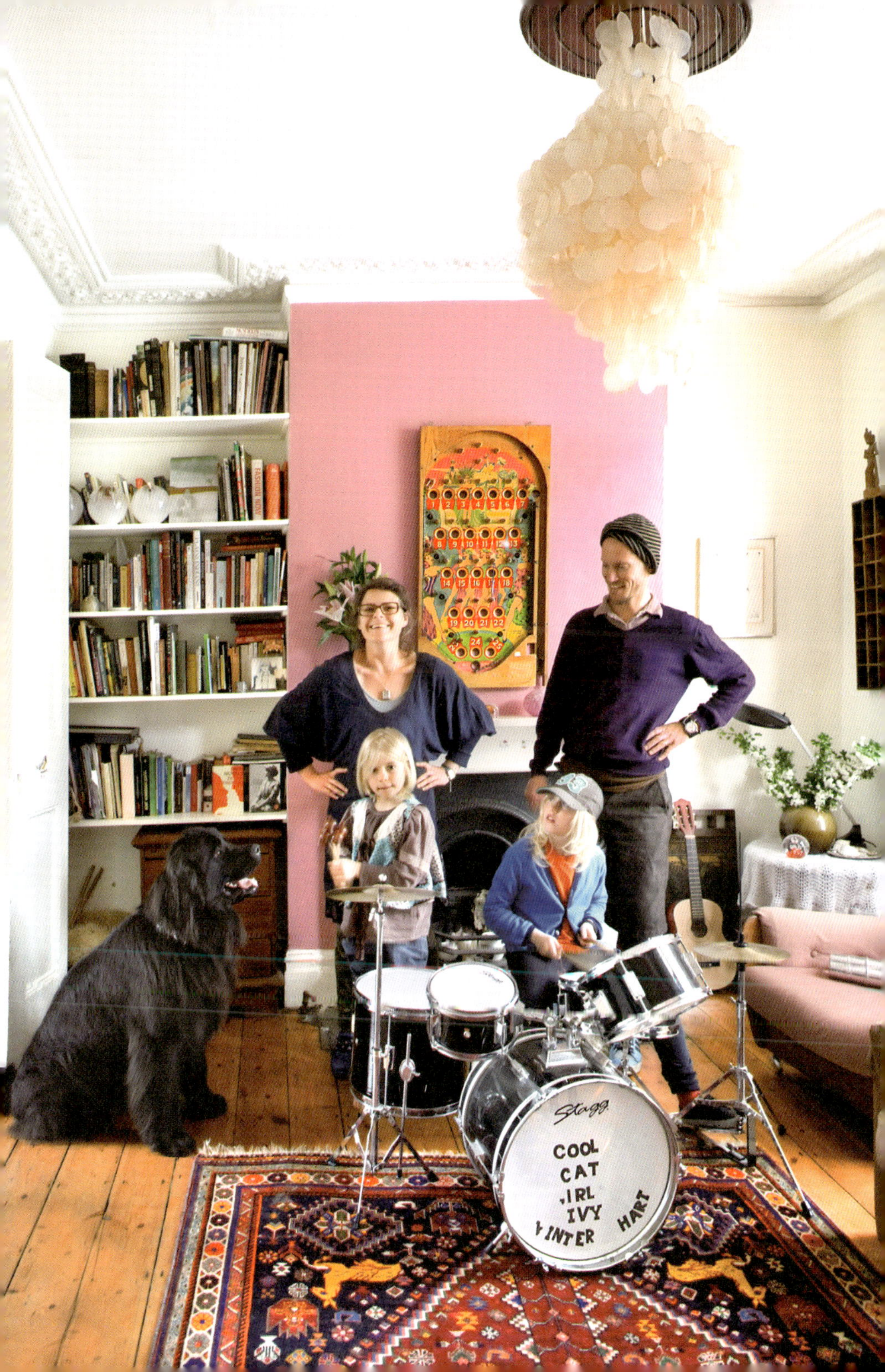
Stagg
COOL
CAT
IRL
IVY
INTER
HART

ロックとロマンチックが出会った、ボヘミアン・スタイル

ニコールさんは古いテキスタイルを素材に、ボヘミアンでロマンチックな子ども服を手がけるデザイナー。ポールさんは世界的に活躍するバンド「クーラ・シェイカー」でドラムスを担当するミュージシャンです。パパとママとふたりの女の子たちはロンドン東部ハックニーで、犬のウィロー、2匹のネコ、うさぎと一緒に暮らしています。家族の住まいは1889年に建てられたヴィクトリア朝時代の典型的なテラスハウス。ママのアトリエやパパのレッスン・スタジオとしても使われている家は、いつもアクティブでエネルギーに満ちあふれるようです。

左：リビングの壁にかけられた大判のキャンバスは、70年代のヴィンテージ・ファブリックでおおったもの。右上：家族でドイツを旅したときに、ジャンクショップで見つけた古いフリッパーマシーン。右下：ドラムはアイヴィちゃんへパパからのクリスマス・プレゼント。

左上：家族で食事をする時間が好きだけれど、子どもたちはお肉が大好きで、パパはベジタリアンなので、メニュー選びが難しいそう。左中：ヴィンテージのレース・ドイリーをコラージュしたママの作品。右上：暖炉の上には10歳のころのママの写真パネル。左下：ひいおばあちゃんの写真とロシアみやげのマトリョーシカ。右下：ガレージセールで見つけた、小さな宝物たち。

左上：お気に入りのポンチョとコートは、ママのブランド「ニキシー・クロージング」のもの。
右上：読書が好きなフェイちゃん。右中：パパとママで、フェイちゃんとアイヴィちゃんのために作ってあげたお店屋さんセット。左下：アクセサリーボックスの中にはビーズのちょうちょとお花。右下：中央の絵本は、ドイツのイラストレーターの作品でお気に入りの１冊。

左上：カラフルな絵画は、子どもたちや家にやってきた友だちが自由に筆を加えて生まれたもの。
右上：お化粧するときは窓辺の鏡で。左中：アイヴィちゃんが赤ちゃんのころの写真。パパはドラムを使って、寝かしつけていたのだそう。左下：ネコのスウィートコーンは、アイヴィちゃんの部屋がお気に入り。右下：ヴィンテージのかぎ針編みのブランケットをかけたベッドに座って。

Lou and Gavin Rota

ルー&ギャヴィン・ロタ
designer and TV executive

Rosie and Ava
ロージー&アヴァ
2 girls / 10 and 8 years old

ロージーちゃんとアヴァちゃんのおうちの庭には
ママのアトリエの目の前に、トランポリンがあります。
学校に行く前に、ちょっとだけ飛んで運動したり
おもちゃやブランケットを広げて、遊んだり。
ときには友だちを呼んで、ティーパーティすることも。
やわらかいシートの上は、まるで雲の上にいるよう。
地面に埋めるようにレイアウトするのは大変だったけれど
子どもたちがよろこんでくれて、パパとママも大満足。
大人も子どもも楽しめる、素敵なお庭です。

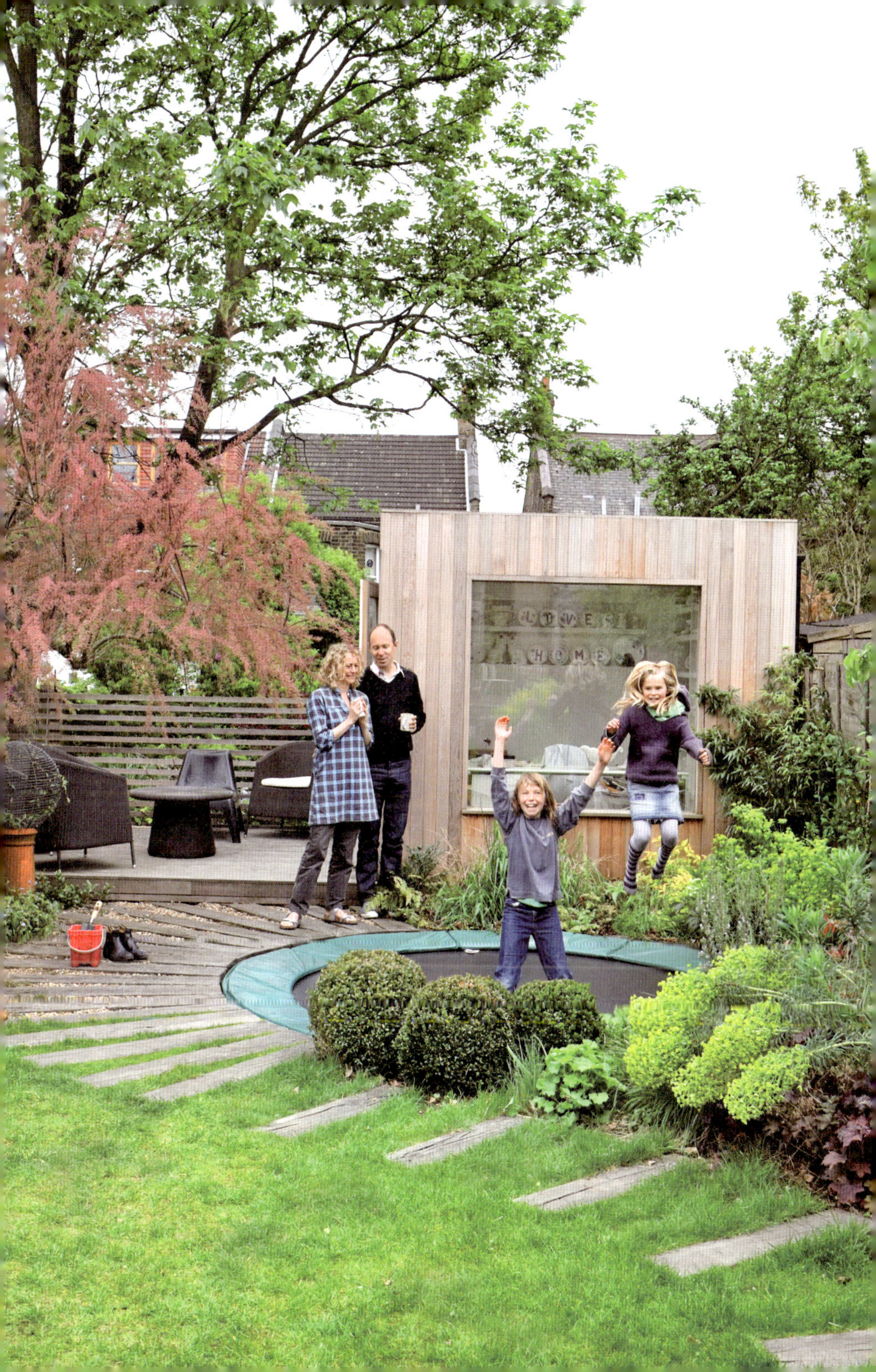
HOME

お花や虫たち、家の中も自然を感じるお庭のように

ロンドン北東部のケンサル・ライズは、小さな村のような場所。子どもたちは地域の学校に通い、近所の友だちどうしで遊びます。家族ぐるみでディナーパーティがよく行われるなど、コミュニティーの結びつきが強い地域です。アヴァちゃんが生まれるころに、このエドワード朝時代に建てられた家に引っ越してきた一家。ギャヴィンさんはテレビ番組プロダクションの役員で、ルーさんはヴィンテージの食器や家具に花や昆虫を転写プリントした作品を手がけるデザイナー。ママの作品に使われるプリントシートで、家の中も楽しく演出しています。

左：庭の奥にあるママのアトリエは、静かで落ち着ける場所。カスタマイズしたユーズドのイスのほかは、デスクや収納をすべて「無印良品」で統一してシンプルに。右上：ガレージセールで見つけた古い花柄の食器に、昆虫やカラスなどを加えて新しいデザインに。右下：花柄のアルファベットをプリントするところ。

左上：週末は庭でバーベキューをするのが楽しみ。右上：「アスティエ・ド・ヴィラット」の脚付き皿に盛ったレモンの上に、昆虫のマグネットをのせて。女の子たちも虫が大好きなのだそう。左中＆左下：ママの作品はモチーフを転写したあと、もう一度窯にいれるので、毎日の食卓でも大活躍。右下：イズリントンのショップで見つけたヴィンテージのテーブルに、教会で使われていたイスをあわせて。

左上：アヴァちゃんの部屋は、壁面を薄いパープルにペイント。右上：60年代の鏡と壁をつなぐように、ちょうちょをあしらって。右中：キッズサイズのイスを新聞紙でカバーリングして、虫のステッカーを加えたママの作品。左下：ヴィンテージの机を、アヴァちゃんのリクエストでコミックや絵本のイラストでコラージュ。右下：小石にステッカーをあしらってペーパーウェイトに。

左上：ロージーちゃんが描いた妖精の絵。ちょうちょのステッカーは、「部屋中で飛んでいるようにしてほしい」というお願いをもとにデコレーション。右上：アヴァちゃんが見つけて、ステッカーをあしらったお皿。左中：ドアには名前の切り抜きを貼って。左下：おじいちゃんの帽子の下にあるバッグのプリントは、ふたりが2歳と4歳のころの写真。右下：動物が大好きで、いまは友だちから預かっている犬のシツに夢中。

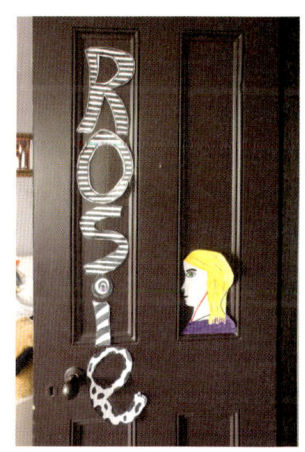

Blythe and Oli Bruckner

ブライス＆オリ・ブルックナー
stylist Designers Guild, florist and production director for Ben Sherman

Solly　ソリー
boy / 3 years old

小さなアドベンチャーと、おしゃべりが大好きで
いつもにこにこ、楽しそうなソリーくん。
最近はサッカーと、飛行機、列車がお気に入り。
オレリアちゃんというガールフレンドもできました。
ママのスカーフを首もとに巻いてもらったら
ほら、かっこいいスーパーマンに変身！！
パパに抱えられて、ジャンプ＆ジャンプ。
元気に走り回って、マントがひるがえります。
ソリーくんの様子に、パパとママも笑顔です。

上：リビングの個性的な壁紙は「コール&ソン」のトラディッショナルなデザインのもの。左下：白鳥の花瓶はガレージセールでの掘り出し物。テーブルのガラス天板を支えてくれる脚も白鳥です。右中：ヴィンテージのレザー・アームチェアに「デザイナーズ・ギルド」のクッションを置いて。右下：パパがネットオークションで見つけたヴィンテージの「フィッシャー・プライス」の飛行機。

ポップだけれどエレガント、明るい笑顔にぴったりの家

ブライスさんは、インテリア・ブランド「デザイナーズ・ギルド」のスタイリスト。結婚式などでデコレーションを手がけるフローリストとしても活躍しています。オリさんは、60年代に生まれたファッション・ブランド「ベン・シャーマン」の生産ディレクター。仕事がら出張も多いパパは、朝ソリーくんを保育園に送り、夜眠る前には本を読んであげるようにしています。家族の住まいは、ロンドン北東部ウィレスデン・グリーンにあるエドワード朝時代の建物。インテリアには、パパとママが好きな50年代の色とデザインが取り入れられています。

左：リビングの暖炉のそばには、ママがデザインした「デザイナーズ・ギルド」のクッションをたっぷり重ねて、気持ちのいい遊び場に。右上：パパとママの大学時代の友だちと一緒に出かけるのは、週末の楽しみのひとつ。右下：ソリーくんがボトルとトイレットペーパーの芯で作ったロケット。

上：引っ越してきたときに、自分たちでアイデアをだしてリフォームした家。キッチンは使い勝手を考えて手を入れた空間。中：家族の写真とソリーくんのお絵描きで、壁を愛情たっぷりにデコレーション。左下：ネットオークション好きのパパが見つけたキッチングッズ。中下：コレクションしているヴィンテージの食器は、結婚式のときにも使ったもの。右下：ママ手づくりのレモンケーキ。

リビングからダイニングキッチンへと、ソリーくんが自転車でやってきます。

左上：ソリーくんの部屋のランプシェードは「デザイナーズ・ギルト」で見つけたもの。左中：壁面はコラージュのように思い出のイメージをピンナップ。右上：本を読んであげるときにパパやママが座るイスは、フリーマーケットで。左下：おじさんからプレゼントされた「イエローマン」と、ひいおばあちゃんが編んでくれた人形たち。右下：ハンバーガーのおもちゃは、パパからの中国みやげ。

左上：カーテンやベッドカバーなどのファブリック使いが華やかなパパとママのベッドルーム。右上：結婚祝いにプレゼントされたニットの花のコラージュや、アーティスト「ピンキー」のりんごの絵などを飾って。右中：「デザイナーズ・ギルト」で見つけたアクセサリーホルダー。左下：花でいっぱいの花瓶はパパからママへの贈り物。右下：個性的なプリントのクッションをミックス。

左上：家族や友だちを招くのが好きなパパとママ。ゲストルームも美しい色合わせの空間に。右上：レモンの木を描いたアーティスト「ピンキー」はママの義理の兄弟。左中：玄関ホールには、家族のイニシャルを飾って。左下：仕事がらコレクションしている花器たち。右下：ママのアトリエは、インスピレーションを与えてくれる、カラフルでグラフィックなアート作品をディスプレイ。

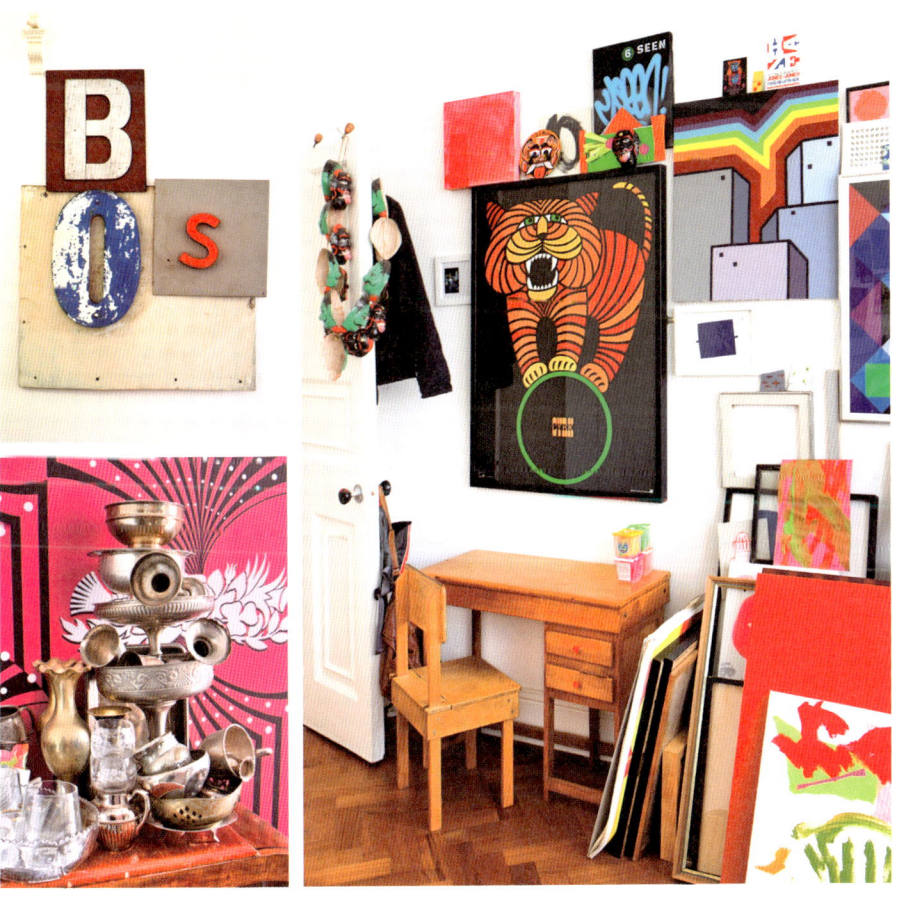

toute l'équipe du livre

édition PAUMES

Photographe : Hisashi Tokuyoshi

Design : Kei Yamazaki, Megumi Mori

Illustrations : Kei Yamazaki

Textes : Coco Tashima

Coordination : Helena Amourdedieu, Fumie Shimoji

Éditeur : Coco Tashima

Art direction : Hisashi Tokuyoshi

Contact : info@paumes.com　www.paumes.com

Impression : Makoto Printing System

Distribution : Shufunotomosha

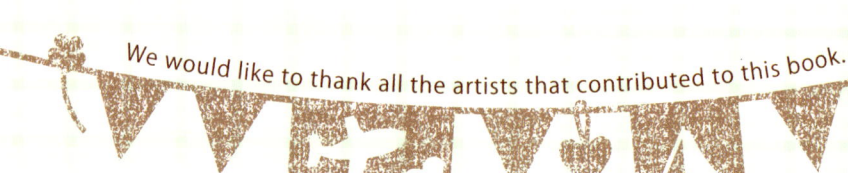

We would like to thank all the artists that contributed to this book.

édition PAUMES　ジュウ・ドゥ・ポゥム

ジュウ・ドゥ・ポゥムは、フランスをはじめ海外のアーティストたちの日本での活動をプロデュースするエージェントとしてスタートしました。
魅力的なアーティストたちのことを、より広く知ってもらいたいという思いから、クリエーションシリーズ、ガイドシリーズといった数多くの書籍を手がけています。近著には「パリ おしゃれガールズスタイル」「ベルギーのファミリースタイル」などがあります。ジュウ・ドゥ・ポゥムの詳しい情報は、www.paumes.comをご覧ください。

また、アーティストの作品に直接触れてもらうスペースとして生まれた「ギャラリー・ドゥー・ディマンシュ」は、インテリア雑貨や絵本、アクセサリーなど、アーティストの作品をセレクトしたギャラリーショップ。ギャラリースペースで行われる展示会も、さまざまなアーティストとの出会いの場として好評です。ショップの情報は、www.2dimanche.comをご覧ください。

London Family Style
ロンドンのファミリースタイル

2010 年　10 月 10 日　初版第　1 刷発行

著者：ジュウ・ドゥ・ポゥム

発行人：徳吉 久、下地 文恵
発行所：有限会社ジュウ・ドゥ・ポゥム
　　　　〒 150-0001 東京都渋谷区神宮前 3-5-6
　　　　編集部 TEL / 03-5413-5541
　　　　www.paumes.com

発売元：株式会社 主婦の友社
　　　　〒 101-8911 東京都千代田区神田駿河台 2-9
　　　　販売部 TEL / 03-5280-7551

印刷製本：マコト印刷株式会社

Photos © Hisashi Tokuyoshi
© édition PAUMES 2010 Printed in Japan
ISBN978-4-07-274855-8

Ⓡ＜日本複写権センター委託出版物＞
本書（誌）を無断で複写複製（コピー）することは、著作権法上の例外を除き、禁じられています。本書（誌）をコピーされる場合は、事前に日本複写権センター（JRRC）の許諾を受けてください。
日本複写権センター（JRRC）
http://www.jrrc.or.jp　 eメール：info@jrrc.or.jp　 電話：03-3401-2382

＊乱丁本、落丁本はおとりかえします。お買い求めの書店か、
　 主婦の友社 販売部 03-5280-7551 にご連絡下さい。
＊記事内容に関する場合はジュウ・ドゥ・ポゥム 03-5413-5541 まで。
＊主婦の友社発売の書籍・ムックのご注文はお近くの書店か、
　 コールセンター 049-259-1236 まで。主婦の友社ホームページ
　 http://www.shufunotomo.co.jp/ からもお申込できます。

ジュウ・ドゥ・ポゥムのクリエーションシリーズ

子どもたちと過ごす楽しい時間とインテリア
Paris Family Style
パリのファミリースタイル

著者：ジュウ・ドゥ・ポゥム
ISBNコード：978-4-07-271555-0
判型：A5・本文 128ページ・オールカラー
本体価格：1,800円（税別）

ベルギー3都市に暮らすアーティストファミリー
Belgium Family Style
ベルギーのファミリースタイル

著者：ジュウ・ドゥ・ポゥム
ISBNコード：978-4-07-273956-3
判型：A5・本文 128ページ・オールカラー
本体価格：1,800円（税別）

子どもたちのファンタジーが詰まった夢の国
children's rooms "London"
ロンドンの子ども部屋

著者：ジュウ・ドゥ・ポゥム
ISBNコード：978-4-07-254551-5
判型：A5・本文 128ページ・オールカラー
本体価格：1,800円（税別）

キュートなインテリアのアイデアがいっぱい
chambres d'enfants à Paris
ようこそパリの子ども部屋

著者：ジュウ・ドゥ・ポゥム
ISBNコード：978-4-07-248674-0
判型：A5・本文 128ページ・オールカラー
本体価格：1,800円（税別）

パパとママの愛情がたっぷり込められた空間
children's rooms "Stockholm"
ストックホルムの子ども部屋

著者：ジュウ・ドゥ・ポゥム
ISBNコード：978-4-07-250139-9
判型：A5・本文 128ページ・オールカラー
本体価格：1,800円（税別）

おとぎ話の町に暮らす、22人の子どもたち
children's rooms "Copenhagen"
北欧コペンハーゲンの子ども部屋

著者：ジュウ・ドゥ・ポゥム
ISBNコード：978-4-07-263930-6
判型：A5・本文 128ページ・オールカラー
本体価格：1,800円（税別）

www.paumes.com

ご注文はお近くの書店、または主婦の友社コールセンター(049-259-1236)まで。
主婦の友社ホームページ(http://www.shufunotomo.co.jp/)からもお申込できます。